Wilfried Krenn
Herbert Puchta

Ideen

Deutsch als Fremdsprache
Kursbuch

Hueber Verlag

Zeichnungen: Beate Fahrnländer, Lörrach
Zeichnungen „Rosi Rot und Wolfi": Matthias Schwoerer, Badenweiler
Fotorecherche: Peter Weber, Unterhaching
Ein ausführliches Quellenverzeichnis befindet sich auf den Seiten 142–143.
Lieder: Texte: Wilfried Krenn, Herbert Puchta, Franz Specht
      Musik: Franz Specht

3. 2. 1.   Die letzten Ziffern
2019 18 17 16 15   bezeichnen Zahl und Jahr des Druckes.
Alle Drucke dieser Auflage können, da unverändert,
nebeneinander benutzt werden.
2. Auflage 2015
© 2009 Hueber Verlag GmbH & Co. KG, 85737 Ismaning, Deutschland
Verlagsredaktion: Veronika Kirschstein, Gondelsheim; Gisela Wahl, Hueber Verlag, Ismaning
Umschlaggestaltung: Martin Lange Design, Karlsfeld
Titelfoto: Alexander Keller, München
Visuelles Konzept, Layout, Grafik: Martin Lange Design, Karlsfeld
Produktionsmanagement: Astrid Hansen, Hueber Verlag, Ismaning
Druck und Bindung: Firmengruppe APPL, aprinta druck GmbH, Wemding
Printed in Germany
ISBN 978–3–19–001824–6

Art. 530_08736_002_01

Inhalt

Kommunikation
über Einkaufsgewohnheiten und Taschengeld sprechen, Personen beschreiben, vergleichen, Kleidung einkaufen, höflich bitten

Wortschatz Kleidungsstücke

Grammatik
Adjektivkomparation (Komparativ); *als*, *wie*;
Höflichkeitsform Konjunktiv II (*würde*, *könnte*)
Wiederholung: *der / ein*, Plural, Imperativ

Kommunikation
Angaben zum Wetter machen, Reiserouten beschreiben, über Verkehrsmittel und Reiseziele sprechen

Wortschatz Wetter

Grammatik
Perfekt von trennbaren und untrennbaren Verben und Verben auf *-ieren*; *um / durch* + Akkusativ
Wiederholung: Perfekt und Präteritum, Präpositionen

Kommunikation Personen beschreiben und charakterisieren, Besitz angeben (*gehören*), Entscheidungen diskutieren, Vorlieben angeben

Wortschatz Kommunikationsmittel, Personen beschreiben, Personen charakterisieren

Grammatik Verben mit Dativ (*gehören, passen ...*); *sollen*;
Verben mit Akkusativ (*einladen, finden ...*); Fragepronomen *wem*;
Modalverb *sollen*; *gern / lieber / am liebsten*
Wiederholung: Negation (*kein / nicht*), Personalpronomen im Nominativ, Akkusativ und Dativ, Modalverben

Kommunikation
Angaben zu Mengen und Maßen machen, vergleichen, Zweifel ausdrücken

Wortschatz
Mengen und Maße

Grammatik
Adjektivkomparation (Superlativ); Nebensätze mit *dass*;
Demonstrativartikel *dieser*; Indefinitpronomen *welch-*; *Was für ein ...?*

Piktogramme und Symbole

Hörtext auf CD

CD Track
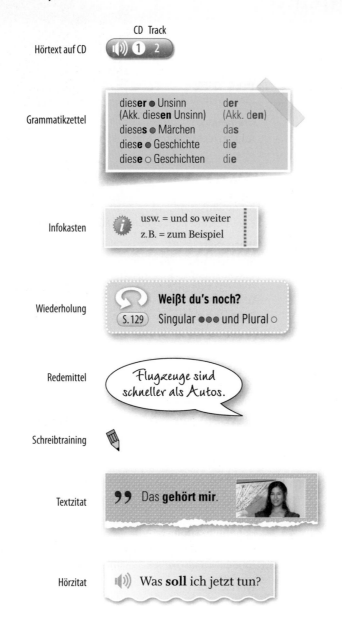
🔊 1 2

Grammatikzettel

dies**er** ● Unsinn   d**er**
(Akk. dies**en** Unsinn)   (Akk. d**en**)
dies**es** ● Märchen   da**s**
dies**e** ● Geschichte   di**e**
dies**e** ○ Geschichten   di**e**

Infokasten

ⓘ usw. = und so weiter
z.B. = zum Beispiel

Wiederholung

↺ **Weißt du's noch?**
(S.129) Singular ●●● und Plural ○

Redemittel

Flugzeuge sind schneller als Autos.

Schreibtraining

✏

Textzitat

❞ Das **gehört mir**.

Hörzitat

🔊 Was **soll** ich jetzt tun?

Wie waren deine Ferien?

1 Was haben wir gemeinsam?

a Hör zu. Welche Themen passen zu den Dialogen? Nur vier Themen passen.

> **A** Musik **B** Stundenplan **C** Hobbys
> **D** Fernsehen **E** Essen und Trinken
> **F** Krankheit **G** Reisen **H** Wohnen

> Dialog 1: **?**
> Dialog 2: **?**
> Dialog 3: **?**
> Dialog 4: **?**

b Partnerarbeit. Hört noch einmal. Was haben die Schüler gemeinsam? Was ist anders? Schreibt Sätze.

Sven und Julia: *Beide hatten Ferien, beide ...*
Alva und Axel: *Beide ...*
Michael und Kerstin: ••••
Martin und Maria: ••••

> ✪ Venedig ✪ Stundenplan ✪ Pizza ✪ Eis ✪
> ✪ schlecht schlafen ✪ Horrorfilm ✪ Sport ✪

c Wörter aus IDEEN 1: Ordne die Wörter den Themen zu.

Familie	Wohnen	Reisen	Essen und Trinken	Schule
••••	*Badezimmer*	••••	••••	••••

> ✪ Badezimmer ✪ Mathematik ✪ Schiff ✪ Salat ✪ Schlafzimmer ✪ Flugzeug ✪ Flur ✪ Sofa ✪
> ✪ Kinderzimmer ✪ Möbel ✪ Zug ✪ Auto ✪ Bus ✪ Gemüse ✪ Klasse ✪ fahren ✪ fliegen ✪
> ✪ einsteigen ✪ Bruder ✪ Milch ✪ Schwester ✪ Biologie ✪ Kartoffeln ✪ Mineralwasser ✪ Note ✪
> ✪ Chemie ✪ Vater ✪ Mutter ✪ Wurst ✪ Onkel ✪ Tante ✪ Cousin ✪ Erdkunde lernen ✪

d Partnerarbeit. Findet noch mehr Wörter zu den Themen in c.

2 Und jetzt ihr!

a Könnt ihr zehn Gemeinsamkeiten finden? Sprich mit deiner Partnerin / deinem Partner.

Gemeinsamkeiten
ein Bruder
keine Hamburger
...

⊙ Ich habe einen Bruder. Hast du auch Geschwister?
◆ Ja, ich habe eine Schwester und einen Bruder.
⊙ Magst du Hamburger?
◆ Nein, du?
⊙ Ich auch nicht.
◆ Wann stehst du am Morgen auf?
⊙ Um ...

b Erzählt in der Klasse.

Wir haben ... Wir mögen keine Hamburger.

> **Weißt du's noch?**
> S. 128 Verbkonjugation

Wünsche und Ziele

A ?

B ?

C ?

D ?

E ?

F ?

Das sind die Themen in Modul 4:

Ordne die Themen zu.

1 Schuluniformen

2 Könnte ich die Hose eine Nummer kleiner haben?

3 Markenschuhe: Wer bekommt meine 100 €?

4 Expedition zum Mount McKinley

5 Extremes Wetter am Kap Hoorn

6 Teure und verrückte Reisen

Du lernst ...

Sprechen

- über Schuluniformen diskutieren
- über Taschengeld und Kleiderkauf sprechen
- Dinge und Personen vergleichen
- höfliche Fragen und Bitten formulieren
- über Reisen und das Wetter sprechen
- Aussehen und Charakter beschreiben
- Probleme lösen
- ungefähre und genaue Angaben zu Mengen und Maßen machen
- wiedergeben, was jemand anderes gesagt hat

Schreiben

- eine E-Mail mit einer Reklamation schreiben
- eine Postkarte aus dem Urlaub schreiben
- einen Text über Entscheidungen schreiben
- eine E-Mail mit persönlichen Informationen zum Kennenlernen schreiben
- eine Anmeldung zum „Tag der Rekorde" schreiben

H ? · **I** ? · **G** ? · **K** ? · **J** ? · **L** ?

7 Warum liest du meinen Brief?

8 Handschriften

9 Sie sagt vielleicht Nein, das ist peinlich. Was soll ich tun?

10 Weltrekorde – die kleinste Zeitung der Welt

11 Ich war der Schnellste über 200 Meter Kraul.

12 Lederhosen trägt Maximilian nur im Trachtenverein.

Lesetexte

- Schuluniformen
- Markenschuhe
- Expedition zum Mount McKinley
- Ein deutsches Segelschiff am Kap Hoorn
- Unglückliche Liebe
- Verrückte Rekorde
- Hochstapler

Hörtexte

- Wetterberichte
- Personen beschreiben
- Ein Lied: „Der richtige Typ für mich"
- Rekorde
- Jugendliche und ihr Leben (Im Kleidergeschäft, Urlaubsplanung, Verabredungen, Lügengeschichten)

13 A Das muss ich haben!

A1 Taschengeld

Sie bekommt … Taschengeld / für Babysitten / von Tante Veronika.
Sie kauft …

a Wie viel Geld hat Karin? Was möchte sie mit dem Geld machen?

⊕			⊖		
	30 €	Taschengeld		89 €	Schuhe
	32 €	Babysitten (8 Stunden)		10 €	Geburtstagsgeschenk
	5 €	Tante Veronika			für Silvia

Sonderangebot

35.-

89.-

b Wie lange muss Karin noch für die Markenschuhe babysitten?

Lösung: S. 141

c Bekommst du Taschengeld? Was machst du mit dem Geld?

ⓘ Jugendamt in Nürnberg
Umfrage: Wie viel Taschengeld bekommt Ihr Kind?

Alter	Taschengeld pro Monat
10 – 12	10 €
13 – 15	20 €
16 – 17	30 €

A2 Schuluniformen

a Welches Foto passt? Ordne zu.

B

A

C

D

1 „Ich möchte an meiner Schule Schuluniformen haben." **?**

2 „Besonders Schüler zwischen 10 und 14 finden Markenkleidung sehr wichtig." **?**

3 „Ich mag keine Uniformen. Ich möchte anziehen, was ich will." **?**

4 „In vielen Ländern müssen die Schüler Schuluniformen tragen." **?**

b Lies und hör den Text. Wie wichtig ist Markenkleidung für Karin? Was will Dr. Müller gegen den Markenwahn tun?

Markenwahn

1 Am Wochenende ist Silvias Geburtstagsparty. Karin hat eine
2 Einladung, aber sie kann nicht kommen. Sie muss babysitten.
3 Dreimal in der Woche verdient sie Geld mit Babysitten. Karin
4 braucht das Geld für ihre Kleidung.
5 Karin bekommt Taschengeld, und ihre Eltern verdienen gut.
6 Aber sie kaufen Karin nur Kleidungsstücke im Sonderangebot:
7 Hosen für 40 €, Blusen für 15 € und Schuhe für 35 €. „Normale"
8 Schuhe für 35 € will Karin aber auf keinen Fall anziehen.
9 Ihre Schuhe kosten 89 €, es sind Markenschuhe. „Die muss
10 ich haben", sagt Karin, „die sind so cool wie Monikas und
11 Andreas Schuhe. Sie sind viel cooler als normale Schuhe. Für
12 die Schuhe gehe ich gern babysitten." Karins Eltern meinen:
13 „Markenkleidung ist nicht besser als normale Kleidung, sie ist
14 nur viel teurer als normale Kleidung. Die muss Karin von ihrem
15 Taschengeld kaufen."

16 „Der Markenwahn ist wirklich ein Problem", sagt Dr. Müller. Er
17 ist Direktor an Karins Schule. „Besonders die Schüler zwischen
18 10 und 14 finden Markenkleidung sehr wichtig. Kinder ohne
19 Markenkleidung haben oft Probleme in der Klasse." Dr. Müller
20 möchte für alle Schüler bis 15 Jahre Schuluniformen haben.
21 „Dann haben wir das Problem nicht mehr", meint er.
22 Viele Schüler in seiner Schule sind dagegen. Manuel meint:
23 „Ich mag keine Uniformen, ich möchte anziehen, was ich will."
24 Doch es gibt auch positive Stimmen: „Am Morgen weiß ich
25 dann immer schon, was ich anziehe", meint Melanie. Und Alex
26 findet: „Geld ist dann nicht mehr so wichtig in der Klasse und
27 Schüler mit weniger Geld haben es leichter."
28 Dr. Müller möchte an seiner Schule unbedingt Schuluniformen
29 haben. In den ersten Monaten aber nur freiwillig: „Die Kinder
30 können die Uniformen tragen, sie müssen aber nicht. In vielen
31 Ländern gibt es Schuluniformen, warum nicht auch bei uns in
32 Deutschland?"

> ● Wahn ≈ extreme oder verrückte Idee

c Wo und wie steht das im Text? Finde die Zeile und lies die Sätze vor. Wer spricht?

1 „Monika und Andrea haben auch so tolle Schuhe."
2 „Ich arbeite gerne für die Schuhe."
3 „Markenkleidung ist für uns zu teuer."
4 „Mir gefällt Dr. Müllers Idee nicht."
5 „Für Schüler über 15 Jahre ist Markenkleidung nicht mehr so wichtig."
6 „Die Schüler dürfen in den ersten Monaten auch die eigene Kleidung anziehen."

> *Zeile 10 und 11, der Satz heißt: ..., Karin spricht.*

d Wer ist für und wer ist gegen Schuluniformen? Warum? Notiere.

	für	gegen	Warum?
Dr. Müller	?	?	*Der Markenwahn ist dann kein Problem mehr an der Schule. In vielen Ländern ...*
Manuel	?	?	⸺
Melanie	?	?	⸺
Alex	?	?	⸺

e Diskutiert die beiden Themen in der Klasse. Sprecht auch in eurer Muttersprache.

1 Möchtest du Schuluniformen an deiner Schule haben? Helfen Schuluniformen gegen den Markenwahn?

2 Für Markenkleidung arbeiten. Ist das eine gute Idee? Was meinst du?

> *Ja, warum nicht. Ich finde ... auch wichtig.*
> *Ich brauche nicht so viel Geld.*
> *Ich muss nicht arbeiten, ich muss kein Geld verdienen.*
> *Ich habe genug Taschengeld.*

> *Nein, auf keinen Fall. Ich bin gegen ...*
> *Ich finde, ...*
> *Ja, auf jeden Fall. Ich denke, ... ist / sind keine schlechte Idee.*

B1 **Kleidung**

> Für die **Schuhe** gehe ich gern babysitten.

a Ordne zu. Hör zu, 🔊 1 4
sprich nach und vergleiche.

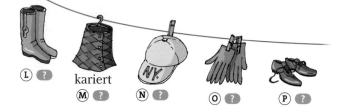

gestreift

kariert

b **Ratespiel. Wähle drei Fragen und schreib die passenden Kleidungsstücke aus a auf. Deine Partnerin / Dein Partner sucht die richtige Frage.**

Welche Kleidungsstücke ...

1 ... trägst du oft?

2 ... trägst du nicht oft?

3 ... muss man oft waschen?

4 ... wäscht man nicht oft?

5 ... trägst du heute?

6 ... sind teuer?

7 ... sind billig?

8 ... sind immer ein Paar (= 2 Stück)?

9 ... trägst du nur im Winter?

> T-Shirt, Hose, Socken, Schuhe

> Frage 5?

tragen
ich trage
du tr**äg**st
er, es, sie, man tr**äg**t

Welche Wörter für Kleidungsstücke ...

10 ... sind ● maskulin?

11 ... haben zwei Silben?

1 ● T-Shirt (-s) 2 ● Schal (-s) 3 ● Hemd (-en)
4 ● Kleid (-er) 5 ● Hose (-n) 6 ● Socke (-n)
7 ● Jacke (-n) 8 ○ Jeans 9 ● Schuh (-e)
10 ● Pullover (–) 11 ● Bluse (-n)
12 ● Kappe (-n) 13 ● Rock (¨e) 14 ● Mantel (¨)
15 ● Handschuh (-e) 16 ● Stiefel (–)

↺ **Weißt du's noch?**
S.129 Singular ●●● und Plural ○

B2 **Wie sieht das aus?**

a **Hör zu und finde die passende Schuluniform.** 🔊 1 5

Modell 1: ?   Modell 3: ?
Modell 2: ?   Modell 4: ?

b **Partnerarbeit. Such ein Bild in Modul 4. Beschreibe die Kleidung, nenne aber nicht die Person oder die Seite im Buch. Kann deine Partnerin / dein Partner die Person finden?**

⊙ Die Person trägt einen Pullover, eine Hose und ein T-Shirt. Der Pullover ist blau, die Hose ist dunkelgrau und das T-Shirt ist gelb. Wer ist das?

◆ Das ist der Junge auf Seite 31, Foto Ⓑ.

c **Partnerinterview. Fragt und antwortet. Macht Notizen und berichtet in der Klasse.**

1 Wie oft kaufst du Kleidung?

2 Kaufst du gern Kleidung? Warum? Warum nicht?

3 Was sind deine Lieblingsgeschäfte?

4 Welche Kleidungsstücke magst du besonders gern?

5 Kaufst du gern mit Freunden oder mit deinen Eltern ein?

C1　Was ist billiger?

> „ Sie sind viel **cooler als** normale Schuhe.

a Kleidungsstücke vergleichen.
Hör zu und finde die Paare.

 1 6

b Hör noch einmal. Ergänze dann die Sätze.
Verwende die Kleidungsstücke aus a.

- ❌ ~~wärmer~~
- ❌ ~~billiger~~
- ❌ besser
- ❌ eleganter
- ❌ schöner
- ❌ ~~lieber~~

1　„Kauf doch die *Schuhe*, die sind *billiger* als die *Stiefel*.“
2　„Zieh den ●●● an, der ist ●●● als die ●●●.“
3　„Ich ziehe den ●●● an, der ist ●●● als das ●●●.“
4　„Nimm ●●●, die sind ●●● als die ●●●.“
5　„Das ●●● passt ●●● als das ●●●.“
6　„Es regnet. Ich nehme ●●● die ●●● als ●●●.“

63,-　　-10%　84,-

> **Komparativ**
> Die Stiefel sind billig.
> Die Schuhe sind billig**er als** die Stiefel.

c Ergänze die Tabelle. Hör zu und vergleiche.　1 7

Komparativ		**besondere Formen:** bei kurzen Adjektiven: a→ä, o→ö, u→ü			
billig	billig**er**	●●●	wärm**er**	●●●	teur**er**
schnell	●●●	groß	●●●	●●●	dunk**ler**
klein	●●●	kurz	●●●	gut	**besser**
interessant	●●●	nah	●●●	viel	**mehr**
hässlich	●●●	●●●	**höher**	gern	**lieber**

C2　Rechenrätsel

a Lies und ergänze den Dialog.

⊙　Was ist los Karin?
◆　Ich habe nur noch 10 Euro. Ich hatte aber 89.
⊙　Du hast schon ziemlich viel gekauft. Zum Beispiel die Hose für *68€*.
◆　Ja, aber im Sonderangebot war sie ●●● billiger, sie hat also nur ●●● gekostet.
⊙　Und dann hast du noch drei Blusen gekauft.
◆　Die Blusen waren auch im Sonderangebot, die waren auch ●●● billiger.
⊙　Stimmt, die drei Blusen haben ●●● gekostet.
◆　Das sind zusammen ●●●. Ich habe aber nur noch zehn Euro.
⊙　Es fehlen 21 Euro.
◆　Vielleicht haben wir falsch gerechnet?

89

Hier ist das Geld für Dich. Viel Spaß beim Einkaufen!

Sonderangebot! -50%

16,-
68,-

b Hör zu und vergleiche. Haben Karin und Sabine falsch gerechnet?　 1 8　　*Lösung: S. 141*

c Partnerarbeit. Hört den Dialog und ergänzt. Macht Dialoge wie im Beispiel. 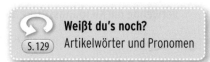 🔊 **1** 9

74,-

24,-

42,-

66,-

Alles
-50%

12,-

- ✪ 45 € / ● Hose
- ✪ 13 € / ● Bluse
- ✪ 24 € / ● Hemd
- ✪ 29 € / ● Rock
- ✪ 7 € / ○ Socken

⊙ Ich habe noch *45 €*.
   Ich brauche noch *eine Hose*.
◆ ⸺ kostet ⸺.
   Aber im Sonderangebot ist *sie* 50 % billiger.
⊙ Da kostet ⸺ dann ⸺. Das geht.

🔄 **Weißt du's noch?**
S. 129   Artikelwörter und Pronomen

C3 **Vergleiche**

a Partnerarbeit. Macht Sätze mit Adjektiven. Wie viele Sätze könnt ihr in fünf Minuten finden?

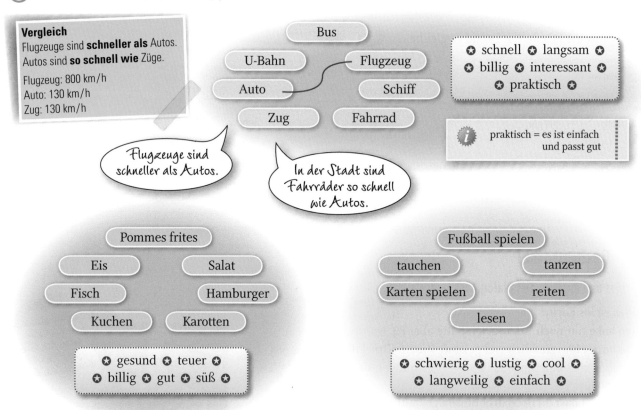

Vergleich
Flugzeuge sind **schneller als** Autos.
Autos sind **so schnell wie** Züge.

Flugzeug: 800 km/h
Auto: 130 km/h
Zug: 130 km/h

Bus
U-Bahn · Flugzeug
Auto · Schiff
Zug · Fahrrad

✪ schnell ✪ langsam ✪
✪ billig ✪ interessant ✪
✪ praktisch ✪

ℹ praktisch = es ist einfach
und passt gut

*Flugzeuge sind
schneller als Autos.*

*In der Stadt sind
Fahrräder so schnell
wie Autos.*

Pommes frites
Eis · Salat
Fisch · Hamburger
Kuchen · Karotten

✪ gesund ✪ teuer ✪
✪ billig ✪ gut ✪ süß ✪

Fußball spielen
tauchen · tanzen
Karten spielen · reiten
lesen

✪ schwierig ✪ lustig ✪ cool ✪
✪ langweilig ✪ einfach ✪

b Ratespiel. Vergleiche Dinge / Personen in der Klasse. Schreib drei Sätze, ein Satz ist falsch.

Ich bin älter als Laszlo. Maria ist größer als ich. Ich bin so alt wie Maria.
Meine Tasche ist kleiner als Kevins Tasche. ...

c Gruppenarbeit. Lest die Sätze. Die anderen raten: Welcher Satz stimmt nicht?

D1 Modefarben

a Sieh das Foto an. Was denken die Personen?
Was sagen die Personen? Was meinst du? Ordne zu.

Verkäuferin   Martin   Karin

1 Ich finde nichts, die Modefarben in diesem Jahr mag ich nicht.

2 Martin, nimm die Hose, wir sind schon so lange hier.

3 Hoffentlich kauft er bald eine Hose.

A Haben Sie die Hose ein bisschen kleiner?

B Ja, vielleicht, ich schaue einmal …

C … du hast immer noch nichts gekauft.

b Hör zu und vergleiche deine Antworten aus a. 🔊 **1** **10**

c Hör noch einmal. Das denken die Personen. Was sagen sie wirklich? Ordne zu.

> **i** Das ist eine Frechheit!
> ≈ Das ist auf keinen Fall okay.

1 Karin: Es ist schon so spät. `?`
2 Martin: Die Hose finde ich gut, aber sie ist zu groß. `?`
3 Karin: Er muss jetzt etwas kaufen. `?`
4 Verkäuferin: Er war eine Stunde lang hier, und jetzt kauft er nichts, das ist eine Frechheit! `?`
5 Martin: Und jetzt mit Karin Schuhe kaufen, das wird toll. `?`
6 Karin: Der spinnt doch! `?`

A „Haben Sie die Hose kleiner?"
B „Nein, Martin, auf keinen Fall."
C „Nimmst du jetzt gar nichts?"
D „Wir sind schon eine Stunde hier."
E „Martin, da liegen drei Pullover, vier Hemden und sechs Hosen, aber du hast immer noch nichts gekauft."
F „Schau Karin, dort ist ein Schuhgeschäft. Ich brauche Schuhe."

d Karin und die Verkäuferin sind sehr freundlich. Wie können sie ihre Meinung auch anders sagen? Schreib alternative Sätze zu den Sätzen **B** – **E**. Die Sätze können auch unfreundlich sein.

> **i** freundlich ⟷ unfreundlich
> ☺   ☹

Es ist schon so spät.

Wir sind schon eine Stunde hier.

Er war eine Stunde lang hier und jetzt kauft er nichts, das ist eine Frechheit!

…

Ich möchte nicht mehr hier bleiben, es ist schon so spät.
Ich gehe jetzt, es ist schon so spät.
Ich habe genug, ich gehe jetzt.

E1 Könnte ich ...?

🔊 **Könnte** ich die Hose auch in Schwarz **haben**?

a Hör zu und ergänze. 🔊 **1** 11

⊙ ••••• ich die Hose •••••?
◆ Ja natürlich, welche Größe?
⊙ 52.
◆ Passt die Hose?
⊙ Nein, sie ist zu groß. ••••• ich die Hose eine Nummer kleiner •••••?
◆ Einen Moment.

> Kann ich ... probieren?
> ☺ Freundlicher: **Könnte** ich ... **probieren**?

b Partnerarbeit. Macht Dialoge wie in a.

> ✪ Schuhe ✪ Pullover ✪ Rock ✪
> ✪ Bluse ✪ Hemd ✪

⊙ Könnte ich das Kleid / die Schuhe / ... probieren?
◆ Ja, natürlich, welche Größe?
⊙ Größe ... / Ich weiß nicht.
◆ Das ist Größe ... / Passt das Kleid / ...? / Passen ...?
⊙ ... ist / sind zu klein / ... Könnte ich ... eine Nummer größer / kleiner / ein bisschen länger / kürzer / in Beige / weiter / enger ✿ ... haben?
◆ Einen Moment.

✿ eng   weit

E2 Komm mit.

🔊 **Würdest** du noch **mitkommen**?

a Hör zu und ordne die Dialoge zu. 🔊 **1** 12

Ⓐ ••••• Ⓑ ••••• Ⓒ ••••• Ⓓ •••••

b Hör noch einmal. Ergänze die Dialoge und kreuze an. Wer ist freundlich ☺ / unfreundlich ☹ ?

> ✪ könnten ... wiederholen ✪ kauf ✪
> ✪ geh einkaufen ✪ komm ✪ bring ... mit ✪
> ✪ würdest ... mitkommen ✪

1 ⊙ Schau, dort ist ein Schuhgeschäft.   ☺ ☹
••••• du ••••• Karin? Ich brauche noch Schuhe.   ❓ ❓
◆ Nein, leider, ich habe keine Zeit.

2 ⊙ Schnell, •••••! Der Zug wartet nicht.
◆ Aber ich habe keine Fahrkarte.
⊙ ••••• schnell eine Karte. Dort ist ein Fahrkartenautomat.   ❓ ❓

3 ⊙ Martin, •••••.
◆ Na gut.
⊙ Und ••••• Milch •••••. Wir haben keine Milch mehr.   ❓ ❓
◆ Natürlich.

4 ⊙ Die Apotheke ist in der Goethestraße, neben dem Museum.
◆ ••••• Sie das •••••? Wo ist die Goethestraße?   ❓ ❓

> Komm mit!
> ☺ Freundlicher:
> **Würdest** du **mitkommen**?

> ↺ **Weißt du's noch?**
> S.128 Imperativ

c Partnerarbeit. Findet Situationen zu den Sätzen. Wer spricht mit wem? Schreibt dann die Sätze freundlicher und macht Dialoge.

1 „Bring deinen Bruder mit."
⊙ <u>Mädchen: „Morgen mache ich eine Party. Könntest du deinen Bruder mitbringen?"</u>
◆ <u>Freundin: „Nein, mein Bruder mag keine Partys."</u>

2 „Räum dein Zimmer auf."

3 „Mach den Fernseher an. Meine Lieblingsserie beginnt in fünf Minuten."

> ⓘ anmachen ≈ einschalten

4 „Helfen Sie doch! Die Tasche ist sehr schwer."

5 „Sei still ✿. Ich höre nichts."   ✿ still

6 „Bezahl bitte das Essen. Ich habe kein Geld mit."

7 „Fahren Sie langsamer. Ich habe Angst."

8 „Mach das Fenster zu. Es ist kalt."

eXtra

F1 Markenschuhe 1 13

a Lies und hör und den Text. Ergänze
die Informationen in der Grafik.

Transport ·····%
Fabrik ·····%
Einzelhandel ·····% Markenfirma ·····%
Arbeiter in der Fabrik ·····%

Wer bekommt meine 100 Euro?
Deine Schuhe haben 100 € gekostet.
Wer bekommt jetzt dein Geld?
Einen Teil bekommen die Verkäufer
in deinem Schuhgeschäft, das ist
klar: 50 € bekommt das Schuhgeschäft in deiner Stadt.
Der Transport zum Schuhgeschäft
war nicht teuer. 5 Prozent von deinen
100 € sind die Transportkosten.
Du denkst, dann bleiben 45 € für
die Produktion? Falsch. Die Schuhfabrik für deine Schuhe steht in

Indien. Die Fabrik bekommt 12 €:
8 € für das Material und 3 € für die
Energie und die Maschinen in der
Schuhfabrik. Die Arbeiter bekommen
0,5 Prozent von deinen 100 €, das
sind genau 50 Cent.
50 + 5 + 12 sind 67 €. Wer bekommt
nun den Rest von deinen 100 €?
Dein Schuh ist ein Markenschuh.
Den Rest bekommt die Markenfirma. 9 € kostet ihre Werbung und
10 € kostet die Forschung, 14 € sind
der Profit der Markenfirma.

b Was bedeuten die Wörter im Text wohl? Kannst du die Bedeutung
erraten? Übersetze in deine Muttersprache und vergleiche mit
einem Wörterbuch.

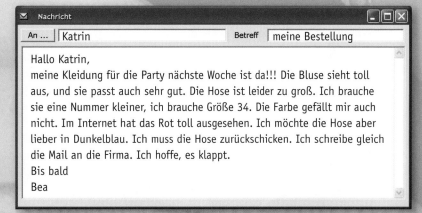

· Firma: produziert
und verkauft etwas

· Transport

· Teil · Produktion · Energie · Maschine
· Werbung · Forschung · Rest · Profit

Ich glaube, „Teil" bedeutet ...

F2 Die Hose passt nicht.

a Lies die E-Mail. Beantworte die Fragen.

1 Was hat Bea gekauft?
2 Warum ist Bea nicht ganz zufrieden?
3 Was muss sie jetzt machen?

✉ Nachricht   ▭ ◻ ✕

An ... | Katrin   Betreff | meine Bestellung

Hallo Katrin,
meine Kleidung für die Party nächste Woche ist da!!! Die Bluse sieht toll
aus, und sie passt auch sehr gut. Die Hose ist leider zu groß. Ich brauche
sie eine Nummer kleiner, ich brauche Größe 34. Die Farbe gefällt mir auch
nicht. Im Internet hat das Rot toll ausgesehen. Ich möchte die Hose aber
lieber in Dunkelblau. Ich muss die Hose zurückschicken. Ich schreibe gleich
die Mail an die Firma. Ich hoffe, es klappt.
Bis bald
Bea

---

b Schreib Beas Mail an die Internetfirma.

✉ Nachricht   ▭ ◻ ✕

An ... | Woll AG   Betreff | Rechnung 32165

Sehr geehrte Damen und Herren,
ich habe ... ... passt leider nicht. ... ist zu groß.
Ich brauche ... kleiner. ... Ich möchte ... in Dunkelblau.
Könnten Sie ... Ich schicke ... zurück.

Mit freundlichen Grüßen
Bea Zeitler

Rosi Rot und Wolfi

14 A Einmal um die Welt …

Anchorage
Frankfurt
New York
Fairbanks
Mount McKinley
Anchorage
• Helikopter

A1 Expedition zum Mount McKinley

a Wo sind Frank und Uschi Baumgartner?
Wie spät ist es? Was meinst du?

> Frank Baumgartner ist vielleicht in … In … ist es … Uhr.

> Uschi Baumgartner ist …

b Hör zu und vergleiche.
Beschreibe Frank Baumgartners Reiseroute. 🔊 1 14

> Sie sind mit … von … nach … geflogen.

> Sie fahren …

c Welches Foto passt? Ordne zu.

A ?

B ?

C ?

• Schlafsack

D ?

1 Das Wetter ist schlecht.
2 Die Bergsteiger warten im Zelt.
3 Das Basislager am Mount McKinley
4 Das Ziel: Der Gipfel

A2   Im Basislager

a Lies und hör den Text. Warum müssen die Bergsteiger warten? 15

Der Gipfel wartet

„... einhundertvierundsechzig, einhundertfünfundsechzig, einhundertsechsundsechzig ..."

Frank Baumgartner liegt im Zelt und zählt die Quadrate auf seinem Schlafsack. Das Wetter ist schon eine Woche lang schlecht: Es ist neblig, sehr windig, es schneit und es sind minus 25 Grad Celsius. Frank Baumgartner, Christian Kaltner und Bernd Weithofer warten im Basislager am Mount McKinley. Die drei Bergsteiger möchten den Berg besteigen, aber zuerst muss das Wetter besser werden. Das Warten und die Langeweile sind furchtbar. Frank Baumgartner hat schon siebenmal die Quadrate auf seinem Schlafsack gezählt. Es sind dreihundertsiebenunddreißig. Er denkt an die Reise zum Mount McKinley zurück: von Deutschland mit dem Flugzeug über New York nach Alaska, vom Flughafen Anchorage mit dem Auto nach Fairbanks, von dort mit dem Helikopter zum Basislager ... Und jetzt warten sie. Die Expedition kostet Geld, sehr viel Geld. Ein Jahr lang haben die Bergsteiger ihre Expedition vorbereitet. Jeden Tag haben sie trainiert. Franks Freunde haben das oft nicht verstanden. „Warum machst du das, du hast doch eine Familie?", haben sie gefragt.

Und es stimmt auch. Alle drei Bergsteiger haben zu Hause eine Familie. Auch ihre Familien müssen jetzt warten. Vielleicht ist das Wetter morgen besser, und sie können den Gipfel besteigen. Vielleicht bleibt das Wetter aber schlecht, und sie müssen wieder zurück nach Deutschland. Mit dem Helikopter zurück nach Fairbanks, mit dem Auto von Fairbanks zurück nach Anchorage, von Anchorage ... Vielleicht nächstes Jahr ... Sind es wirklich dreihundertsiebenunddreißig Quadrate?

b Lies den Text noch einmal. Schreib die Antworten. Die Antworten stehen direkt im Text.

1 Wie ist das Wetter am Mount McKinley? *Das Wetter ...*
2 Warum warten die Bergsteiger am Mount McKinley?
3 Wie finden die Bergsteiger das Warten?
4 Was macht Frank Baumgartner in seinem Zelt?
5 Wer wartet zu Hause auf die Bergsteiger?

c Finde Antworten auf die Fragen. Was meinst du? Die Antworten stehen <u>nicht</u> direkt im Text.

1 Warum zählt Frank Baumgartner die Quadrate auf seinem Schlafsack?
2 Was denken Frank Baumgartners Freunde über die Expedition?
3 Was denken die Frauen und Kinder über die Expedition?
4 Was möchte Frank Baumgartner nächstes Jahr machen?

> Im Text steht „Das Warten und die Langeweile sind furchtbar." Ich denke, Frank Baumgartner kann nichts tun – und er hat sehr viel Zeit.

d Ist die Expedition eine gute Idee? Was meint ihr? Diskutiert in der Klasse.

> Ich finde, die Expedition ist eine / keine gute Idee.
> Die Expedition ist interessant / toll / verrückt ...
> Den Mount McKinley besteigen, das ist ...
> Die drei Männer müssen ...
> Ihre Familien müssen ... Sie können nicht ...
> Im Zelt warten, das ist doch ...

B1 Das Wetter am Mount McKinley

" Es **ist neblig**, sehr **windig**, **es schneit** und **es sind minus 25 Grad Celsius**.

a Ergänze die Texte. Hör zu und vergleiche. **1** 16

 Das Wetter am Mount McKinley ist schon eine Woche lang schlecht. Es ist stark b▱▱▱, es ist ne▱▱▱, es sch▱▱▱, es ist sehr w▱▱▱ und es sind ▱▱▱ G▱▱▱ Celsius. Das heißt, es ist sehr k▱▱▱.

 Das Wetter am Mount McKinley ist gut. Die S▱▱▱ sch▱▱▱, es sind ▱▱▱ G▱▱▱, es ist nicht w▱▱▱ und nicht n▱▱▱.

die Sonne scheint	● Sonne	es ist bewölkt	● Wolke
es schneit	● Schnee	es ist neblig	● Nebel
es regnet	● Regen	es ist windig	● Wind

 es ist kalt/kühl/ warm/heiß

es sind minus 45 Grad

Nebel □ neblig
Wind □ windig
Sonne □ sonnig

b Beschreibe die Jahreszeiten am Mount McKinley. Wann ist eine Expedition möglich?

	Frühling	Sommer	Herbst	Winter
Temperatur	-30 °C	-25 °C	-40 °C	-56 °C
Wind				
Sonne				
Niederschläge				
Tageslicht	14 Stunden	18 Stunden	12 Stunden	8 Stunden

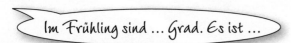

Im Frühling sind ... Grad. Es ist ...

B2 Reisewetter

 1 17

a Hör zu und ergänze die Wetterinformationen im Text. Beschreibe das Wetter in den acht Weltregionen. Ist gerade Frühling, Sommer, Herbst oder Winter?

Flug 2213 nach Sydney. Das Wetter in Sydney ist ...

L14_B2a_01_Cockpit

Reisewetter heute		
Norwegen, Oslo	-14 Grad	Sonne
1 Australien, Sydney	▱▱▱ Grad	▱▱▱
2 Russland, Nowosibirsk	▱▱▱ Grad	stark bewölkt, ▱▱▱
3 Brasilien, Rio de Janeiro	▱▱▱ Grad	▱▱▱, ▱▱▱
4 Indien, Mumbai	▱▱▱ Grad	▱▱▱
5 Kanada, Quebec	▱▱▱ Grad	▱▱▱
USA, San Francisco	-5 Grad	Schnee
Südafrika, Kapstadt	35 Grad	Sonne

1 21 Grad, stark bewölkt, ...

b Partnerarbeit. Welches Wetter magst du (nicht)? Ordne die Wörter von 1-6 wie im Beispiel. Erkläre deiner Partnerin / deinem Partner deine Reihenfolge.

1 gefällt mir sehr gut
2
3
4
5
6 mag ich nicht

 ● Hitze: Es ist heiß.
● Kälte: Es ist kalt.

1 Schnee
2 Sonne und Hitze (35°C)
3 Nebel
4 Regen
5 Sonne und Kälte (-10°C)
6 Wind

Schnee und Kälte mag ich nicht. Im Winter bin ich oft erkältet✿.

✿ erkältet

C1 Extremes Wetter bei der Expedition: Die „Poseidon" am Kap Hoorn

a) Welches Bild passt? Ordne zu. Lies dann den Text. Warum ist das Kap Hoorn so gefährlich?

A ?

B ?

1 Die Südspitze von Südamerika: Kap Hoorn

2 Die Stürme am Kap Hoorn waren für die Segelschiffe im 18. und 19. Jahrhundert sehr gefährlich.

Die Südspitze von Südamerika heißt Kap Hoorn. Der Westwind ist hier oft ein Orkan mit 160 km/h. Auch gibt es immer wieder Eisberge. Die Eisberge und die Stürme machen das Meer sehr, sehr gefährlich. Mehr als 1000 Segelschiffe sind im 18. und 19. Jahrhundert vor dem Kap Hoorn untergegangen. Auch die „Poseidon", ein deutsches Segelschiff, hatte im Jahr 1865 am Kap Hoorn Probleme. Das Logbuch erzählt ihre Geschichte:

Datum	Notiz	Logbuch *Poseidon*
16. Januar 1865	Abfahrt Puerto Deseado	Wind = gut, Temperatur 15 Grad
20. Januar 1865	Eisberg 100 Meter entfernt	
30. Januar 1865	Sturm – 20 Grad Celsius	zwei Rettungsboote verloren
5. Februar 1865	5 Männer krank	
23. Februar 1865	Hauptmast gebrochen	Wir können nicht weiter, wir müssen zurück.

b) Lies Alberts Brief und ergänze die fehlenden Wörter. Das Logbuch hilft dir.

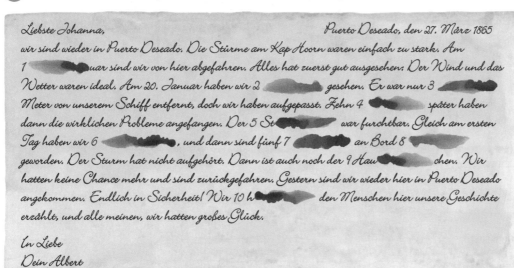

Liebste Johanna,   Puerto Deseado, den 27. März 1865
wir sind wieder in Puerto Deseado. Die Stürme am Kap Hoorn waren einfach zu stark. Am
1 _____ uar sind wir von hier abgefahren. Alles hat zuerst gut ausgesehen. Der Wind und das
Wetter waren ideal. Am 20. Januar haben wir 2 _____ gesehen. Er war nur 3 _____
Meter von unserem Schiff entfernt, doch wir haben aufgepasst. Zehn 4 _____ später haben
dann die wirklichen Probleme angefangen. Der 5 St_____ war furchtbar. Gleich am ersten
Tag haben wir 6 _____, und dann sind fünf 7 _____ an Bord 8 _____
geworden. Der Sturm hat nicht aufgehört. Dann ist auch noch der 9 Hau_____ chen. Wir
hatten keine Chance mehr und sind zurückgefahren. Gestern sind wir wieder hier in Puerto Deseado
angekommen. Endlich in Sicherheit! Wir 10 h_____ den Menschen hier unsere Geschichte
erzählt, und alle meinen, wir hätten großes Glück.

In Liebe
Dein Albert

Albert Hofmann,
Schiffsarzt auf
der „Poseidon"

1 16. Januar   2 ••••• …

c Ergänze die Sätze aus Alberts Brief.

✪ aussehen ✪ zurückfahren ✪ verlieren ✪ anfangen ✪
✪ erzählen ✪ aufpassen ✪ ankommen ✪ abfahren ✪ aufhören ✪

1 *Am 16. Januar sind wir von hier* abgefahren.

2 *Alles hat zuerst gut* .....:

3 *... doch wir haben* ..... .

4 *Zehn Tage später haben dann die Probleme* ..... .

5 *Gleich am ersten Tag haben wir zwei Rettungsboote* ..... .

6 *Der Sturm hat nicht* ..... .

7 *Wir hatten keine Chance mehr und sind* ..... .

8 *Gestern sind wir wieder hier in Puerto Deseado* ..... .

9 *Wir haben den Menschen hier unsere Geschichte* ..... .

Partizip II
trennbare Verben:
ab fahren – ab ge fahren
auf hören – auf ge hört

Verben mit *ver-, er-, be-, ent-* (kein *-ge-*):
verlieren – **ver**loren
erzählen – **er**zählt
besuchen – **be**sucht
entschuldigen – **ent**schuldigt

Verben auf *-ieren* (kein *-ge-*):
train**ieren** – train**iert**

↺ **Weißt du's noch?**
S. 128   Perfekt und Präteritum

d Partnerarbeit. Macht ein Fragespiel.

⊙ Was ist am 16. Januar passiert?
◆ Die „Poseidon" ist von Puerto Deseado abgefahren.

• 20. Januar   • 5. Februar
• 30. Januar   • 23. Februar

C2   Tagebücher

„ Frank Baumgartner **hat** schon siebenmal
die Quadrate auf seinem Schlafsack **gezählt**.

a Lies die Tagebücher von Frank Baumgartner und Christian Kaltner. Wie war der Tag? Erzähle.

Frank Baumgartners Tagebuch

13. Tag im Basislager
Ich zähle die Quadrate
auf meinem Schlafsack.
Christian macht Tee,
schon wieder!
Ich denke an die
Vorbereitungen zurück.
Bernd erzählt seine
Mount Everest-Geschichten.

Immer dasselbe – ich höre
nicht mehr zu.
Der Wind hört auf.
Christian räumt das Zelt
auf, schon wieder!
Ich ziehe mich an und
stehe auf.
Das Wetter sieht besser aus.

Christian Kaltners Tagebuch

Basislager, 13. Tag
Ich koche Tee.
Frank zählt schon wieder
die Quadrate auf seinem
Schlafsack.
Warum zählt er so laut?
Ich höre Bernd zu, finde
seine Everest-Geschichten
interessant.

Er erzählt sie immer neu.
Ich räume dann das
Zelt auf.
Überall sind Franks
Sachen, seine Socken,
sein Taschenmesser 🔪.
Ich verstehe das nicht.
Frank kommt zurück.
Ich spreche mit ihm.

Frank Baumgartner hat ... gezählt.

Christian Kaltner hat Tee gekocht.

🔪 • Taschenmesser

b Hat es Streit 🗲 gegeben?
Warum (nicht)?
Was meinst du?

🗲 • Streit

D1 Verrückte Reisen

a Lies die Anzeigen und ergänze die Tabelle.

Reise	Dauer	Preis
Nordpol–Rundflug	elf Stunden	550 – 2.000 €
.....	.....	.....

Nordpol-•Rundflug: Dauer: elf Stunden. Inklusive Speisen, Getränke, Filme, Musik. Preis: 550 – 2.000 €.

Titanic–•Exkursion
Eine Tauchfahrt mit dem U-Boot. Dauer: eine Stunde. Preis: 35.000 €.

Mount Everest–•Expedition
Dauer: 71 Tage. Preis: 40.000 €.

● **Flug in den Weltraum**
Dauer: eine Woche. Achtung: lange Wartelisten. Preis: 20 Millionen €.

● *Schiffsreise*
Mit der „Queen Victoria" um die Welt. Dauer: 99 Tage. Preis 300.000 €.

Formel-1–• Testfahrt
20 Runden in einem Formel-1-Rennwagen. Preis: 8.800 €.

b Partnerarbeit. Macht ein Miniquiz.
Was findet ihr billig? Was findet ihr teuer?

⊙ Die Reise dauert ... und sie kostet ...
◆ Das ist der/die ... Den/Die finde ich ...

> ℹ️ ● Anzeige ≈ kurzer Text in der Zeitung oder im Internet, wenn man etwas sucht oder verkaufen will

D2 Die Reise im Kopf

a Hör den Dialog. Welche Reisen aus D1a nennen Margit und Florian? 🔊 ❶ 18

b Hör noch einmal. Richtig oder falsch?

		richtig	falsch
1	Florian sucht im Internet ein Hotel für den Familienurlaub.	?	?
2	Das Hotel kostet 40.000 €.	?	?
3	Florian findet die Internetseite „Verrückte Reisen".	?	?
4	Florian und Margit spielen Reisebüro.	?	?

c Florian und Margit spielen Reisebüro. Ergänze die Dialoge.

⊙ Unser Sonderangebot: **6** **9** **3** Raumstation Mir.
◆ Das meinst du nicht ernst? Ich habe Flugangst, und ich brauche frische Luft.

⊙ **?** **?** **?** Welt.
◆ Nein danke, das Schiff ist zu klein.

⊙ Ein paar Runden **?** **?** **?** Nürburgring, das klingt doch gut.
◆ Nein danke, der Wagen ist zu unbequem.

⊙ Vielleicht **?** **?** **?** Titanic?
◆ Nein danke, das ist langweilig und im Eismeer kann man nicht baden.

d Hör zu und vergleiche. 🔊 ❶ 19

1	um den
2	● „Queen Victoria"
3	~~zur~~
4	● Formel-1-Rennwagen
5	● U-Boot „Nautilus"
6	~~mit einem~~
7	mit der
8	mit dem
9	● ~~Space Shuttle~~
10	mit einem
11	zur
12	um die

E1 Verrückte Rennen und Rekorde

🔊 **Mit der** „Queen Victoria" **in** 99 Tagen **um die** Welt.

a Kannst du die Verkehrsmittel erraten?
Ergänze die Schlagzeilen.

zu Fuß　● Motorrad　● Ballon　● Surfbrett

1 Mit dem Fahrrad in 10 Tagen durch Australien.

2 ▱ in 18 Tagen von Paris nach Dakar.

3 ▱ ohne Pause um die Welt.

4 ▱ **mit 140 km/h durch die Stadt.**

5 ▱ **in 89 Tagen 8000 km von Amerika nach Asien.**

6 ▱ **8800 Meter hoch zum Mount Everest.**

7 ▱ **mit 300 km/h in zwei Stunden von Paris nach Lyon.**

um
+ Akkusativ

durch
+ Akkusativ

↻ **Weißt du's noch?**
S.129　Präpositionen

b Hör zu und vergleiche. 🔊 **①** 20

c Partnerarbeit. Macht Dialoge wie in D2c.

⊙ Fahren wir mit dem Mountainbike durch Australien?
◆ Nein danke, …

> Das ist zu gefährlich / langweilig / unbequem / …
> Da gibt es zu viele Schlangen / zu viel Schnee …
> … gefällt mir nicht.
> Ich mag keinen / kein / keine …
> Ich kann nicht …
> Da ist es zu heiß / zu kalt …
> Da kann ich kein Gepäck ✹ mitnehmen.
> Da muss ich zu viel einpacken ✿.
> Das habe ich schon gemacht, es war …
> Ich fahre lieber …

E2 Ich bin noch nie …

Sammelt (verrückte) Reiseideen und ordnet sie.

Ich bin / habe noch nie …, aber …

☺ … das möchte ich gern machen.　☹ … das möchte ich auch nicht machen.

mit einem Hausboot durch Frankreich　im Winter in einem Zelt schlafen

…　…

> Ich bin noch nie mit einem Hausboot durch Frankreich gefahren. Aber ich glaube, das möchte ich gern machen.

✹ ● Gepäck　✿ einpacken　auspacken

unbedingt ausprobieren			Warum nicht?			auf keinen Fall
1	2	3	4	5	6	7
Hausboot						

F1 Partnerarbeit. Aktivitäten gegen die Langeweile

a „Frank zählt die Quadrate auf seinem Schlafsack." Probiert interessantere Aktivitäten gegen die Langeweile aus:

Wie viele Beispiele könnt ihr in fünf Minuten finden?

1. Finde ein Wort, zum Beispiel *Brot*. Das Wort *Brot* endet mit dem Buchstaben **t**. Finde jetzt ein Wort mit **t**, zum Beispiel *Tier*. *Tier* endet mit **r**. Finde jetzt ein Wort mit **r** usw.

2. Wähle einen Buchstaben, z.B. **s**. Mach jetzt einen Satz ohne den Buchstaben **s**, z.B. *Ich kann heute nicht kommen*. Wie viele Sätze ohne **s** kannst du finden?

3. Wähle einen Satz aus dem Text in A2 (Seite 19) aus, zum Beispiel **Frank Baumgartner liegt in seinem Zelt und zählt die Quadrate auf seinem Schlafsack.**
Mach mit jedem Wort einen neuen Satz, z.B. **Frank** ist krank. Franks Familienname ist **Baumgartner**. Der Mount McKinley **liegt** in Alaska. Franks Familie lebt **in** Deutschland usw.

b Kennst du andere Sprachspiele? Sprich auch in deiner Muttersprache.

> ℹ usw. = und so weiter
> z.B. = zum Beispiel

F2 Postkarten

a Florian ist mit seinen Eltern in Italien im Urlaub. Lies die Karte und finde die Antworten.

1 Wie ist das Wetter? *Zuerst war ...*
2 Wo ist das Hotel?
3 Wo sind Florians Eltern?
4 Was macht Florian?

> Liebe Margit,
> wir sind vor einer Woche hier in Bibione angekommen. Gestern hat es geregnet und wir sind in den Zoo gegangen. Aber heute ist das Wetter wunderbar. Die Sonne scheint, und es ist wirklich warm. Das Meer ist wunderschön und wir gehen jeden Tag zum Strand. Das Hotel Angelo liegt direkt am Meer. Aber es hat auch einen Swimmingpool. Meine Eltern sind gerade in die Stadt gegangen, und ich sitze hier am Swimmingpool und frühstücke. Ich hoffe, es geht Dir gut.
> Liebe Grüße
> Florian

b Du machst mit deinen Eltern Urlaub. Schreib wie Florian eine Postkarte an deine Brieffreundin / deinen Brieffreund in Deutschland. ✏

Wann bist du angekommen?	Liebe/r ..., ich bin ... gut ... in ... angekommen.
Wie ist das Wetter?	Das Wetter ist ... Es ... Es sind ... Grad.
Wie ist das Hotel?	Das Hotel ist ...
Was hast du gestern/vor drei Tagen ... gemacht?	Gestern/vor drei Tagen habe/bin ich ...
Was machst du jeden Tag?	Ich ... (lesen/baden gehen ...) Liebe Grüße ...

Rosi Rot und Wolfi

15 A Kennst du ihn?

(1) ? Lara und Pascal

(2) ? Albert und Maria

(3) ? Yvonne und Hannah

A1 Kennenlernen 21

a Hör die Interviews. Wie haben sich die Personen kennengelernt? Ordne zu.

- **A** auf einem Schulfest
- **B** Briefe schreiben
- **C** im Internet chatten
- **D** E-Mails schreiben
- **E** Anzeigen lesen

> Pascal hat mit Lara im Internet gechattet.

b Wo habt ihr wen kennengelernt? Sammelt Situationen und schreibt Sätze.

- ✪ Brieffreund / Brieffreundin
- ✪ Freund / Freundin
- ✪ Tennispartner / Tennispartnerin
- ✪ ...

- ✪ im Urlaub
- ✪ bei einem Fußballspiel
- ✪ im Einkaufszentrum
- ✪ ...

> *Ich habe meinen Brieffreund im Urlaub kennengelernt. Wir waren in Spanien am Meer und ...*

A2 Radjays Brief

a Sieh die Fotos an und beantworte die Fragen. Was meinst du?

> Das Mädchen auf Bild 1 heißt ...

1 Wie heißen die Mädchen?
2 Wer hat den Brief geschrieben?
3 Warum ist das Mädchen auf Bild 2 wütend?
4 Was steht in dem Brief?

❁ ● Handschrift

❀ ● Träne

(1) „Ein Brief von einem Bahrani? – Ihre Familien sind doch verfeindet." Kusuma gefällt der Brief und ihr gefällt die Handschrift❁.

(2) Amita hat Tränen ❀ in den Augen. So wütend hat Kusuma ihre Schwester noch nie gesehen.

> ⓘ befreundet sein ≠ verfeindet sein
> (= Freunde sein) (= Feinde sein)

b Lies und hör den Text. Sind deine Vermutungen in a richtig? 1 22

Liebe braucht Zeit

1 „Das ist nicht möglich, das ist ja unglaublich!", Kusuma hat
2 den Brief in Amitas Zimmer gefunden. Sie hat ein schlechtes
3 Gefühl. Sie will Amitas Briefe nicht lesen, aber der Inhalt ist
4 so unglaublich. Sie muss einfach weiterlesen. Der Brief ist
5 von Radjay Bahrani. Sie kennt Radjay nicht, aber sie kennt
6 natürlich den Familiennamen Bahrani. Ihr Vater hat immer
7 wieder von „den Bahranis" gesprochen. Nichts Gutes. Die
8 beiden Familien sind verfeindet. Warum, das weiß Kusuma
9 eigentlich gar nicht so genau. Vor Jahren hat es einen großen
10 Streit gegeben, und jetzt bekommt ihre Schwester Briefe von
11 einem Bahrani. Kusuma gefällt der Brief. „Ich denke immer an
12 Dich, jeden Tag, jede Stunde ..." Auch die Handschrift gefällt
13 ihr: große Buchstaben, eine sehr energische Handschrift.
14 Wie dieser Radjay wohl aussieht?
15 Ihren Eltern gefällt der Brief ganz sicher nicht. Ihnen gefällt
16 der junge Parem Chand. Die Familien sind befreundet.
17 Kusuma und Amita haben Parem bei einem Familienfest
18 kennengelernt. Das Essen und Trinken waren ihm wichtiger

19 als Amita. Vor allem die Süßspeisen haben ihm geschmeckt.
20 Furchtbar. „Den heirate ich sicher nicht", hat Amita danach
21 gesagt. „Dein Vater war auch kein Märchenprinz", hat ihre
22 Mutter damals gemeint. „Das Aussehen ist nicht so wichtig.
23 Liebe braucht einfach Zeit." Parem schreibt immer wieder
24 E-Mails, aber Amita antwortet nicht.
25 Eine Stelle in Radjays Brief macht Kusuma ein bisschen
26 Angst. Da steht: „Warum warten wir so lange? Wir müssen
27 weg von hier."
28 „Was machst du da mit meinen Sachen, das gehört mir!"
29 So wütend hat Kusuma ihre Schwester noch nie gesehen.
30 „Warum liest du meine Briefe?"
31 „Ich habe meine Ohrringe gesucht, und dann habe ich den
32 Brief gefunden. Tut mir leid."
33 „Mach das nie wieder!" Amita hat Tränen in den Augen.
34 „Ich verstehe dich doch so gut ...", möchte Kusuma ihrer
35 Schwester sagen, sie möchte ihr helfen, sie möchte sie
36 trösten, doch Amita hört ihr schon nicht mehr zu.

> ℹ️ trösten ≈ einer traurigen Person helfen

c Lies noch einmal. Ergänze die Sätze.

1 **B** liest Amitas Briefe.
2 Amitas Familie und **?**s Familie hatten einen Streit.
3 **?** schreibt Amita Liebesbriefe.
4 Amitas Eltern finden, Amita und **?** passen gut zusammen.
5 **?** gefällt Kusuma und **?** nicht.
6 **?** meint: „Wie jemand aussieht, das ist nicht so wichtig."
7 **?** will nicht in der Stadt bleiben.
8 **?** ist traurig und möchte allein sein.

A Amita
B Kusuma
C Amitas und Kusumas Mutter
D Radjay
E Parem

d Lies die Fragen, such die passenden Textstellen und schreib deine Antworten.

1 Warum gefällt Radjays Brief
Amitas Eltern sicher nicht?

Amitas Familie und Radjays Familie ...

Amitas Eltern möchten ...

2 Eine Stelle in Radjays Brief
macht Kusuma Angst. Warum?

Radjay schreibt, ...

Kusuma glaubt, Radjay und Amita wollen ...

B1 Kommunikationsmittel: Seit wann gibt es das Internet ...?

" Kusuma hat den **Brief** in Amitas Zimmer gefunden.

a Partnerarbeit. Ordnet die Kommunikationsformen den Jahreszahlen zu. Was meint ihr?

1 E-Mails schicken   **2** im Internet surfen
3 telefonieren   **4** mit Lichtsignalen kommunizieren   **5** mit dem Handy telefonieren
6 eine Postkarte schreiben   **7** ein Fax schicken
8 einen Brief schreiben   **9** eine SMS schicken

700000	v. Chr.	?
3000	v. Chr.	?
1900		?
1918		?
1930		?
1990	**5** ?	?
1994		?
heute		

Ich glaube, seit 1990 telefoniert man mit Handys.

> *i* seit 1900 ≈ von 1900 bis heute

b Hört zu und vergleicht. 🔊 1 23

c Verflixte Situationen. Welche Kommunikationsprobleme hast du jetzt wohl? Schreib Sätze. Finde auch noch weitere verflixte Situationen.

1 Der Kugelschreiber schreibt nicht.
Ich kann keine Postkarten schreiben, ich kann ...
2 Der Akku ✿ ist leer. ⬤⬤⬤
3 Ich habe keine Briefmarke. ⬤⬤⬤
4 Es ist neblig. ⬤⬤⬤
5 Der Computer ist kaputt. ⬤⬤⬤
6 Ich habe kein Geld. ⬤⬤⬤
7 Meine Brille ✿ ist weg. ⬤⬤⬤
8 Ich habe kein Papier. ⬤⬤⬤
9 ...

✿ ● Akku

✿ ● Brille

> ↻ **Weißt du's noch?**
> (S. 128) Negation

B2 Aussehen

" Wie dieser Radjay wohl **aussieht**?

Attraktiv, dünn, ...

a Ordne das Gegenteil zu. Hör dann zu und vergleiche. 🔊 1 24

A dick	**B** blond	**C** klein	**D** schwach
E unfreundlich	**F** unsympathisch		
G dumm	**H** hässlich		

1 attraktiv ↔ ?
2 dunkelhaarig ↔ ?
3 schlank, dünn ↔ ?
4 groß ↔ ?
5 stark ✿ ↔ ?   ✿ stark
6 sympathisch ↔ ?
7 freundlich ↔ ?
8 intelligent ↔ ?

b Ähnlichkeiten. Sieh die Fotos in **A1a** noch einmal an und hör zu. Ergänze dann die Sätze. 🔊 1 25

Elena:
Meine Schwester ist genau so *schlank* und ⬤⬤⬤, aber ihre Haare sind lockig✿. Ich glaube, meine Schwester ist auch ein bisschen *kleiner*. Sie ist ⬤⬤⬤ als das Mädchen auf dem Foto, meine Schwester ist erst fünfzehn Jahre alt. Das Mädchen auf dem Foto hier sieht ⬤⬤⬤ aus. Sie ist vielleicht schon 18 oder 19.

✿ lockig

Ruth:
Meine Cousine trägt auch eine Zahnspange✿, und sie ist genauso ⬤⬤⬤ und ungefähr so ⬤⬤⬤ wie das Mädchen auf dem Foto. Aber ihre Haare sind ⬤⬤⬤ und sie ist ein bisschen ⬤⬤⬤.

✿ ● Zahnspange

c Such eine Person im Buch und vergleiche sie mit einem Verwandten oder einer Freundin / einem Freund. Schreib und lies deine Beschreibung vor.

Mein Onkel sieht so ähnlich aus wie der Mann auf Seite XX. Mein Onkel ist aber älter und auch größer. Er ...

> *i* der Verwandte ein Verwandter = Onkel, Mutter, Großvater usw.

B3 Handschriften

> Auch die **Handschrift** gefällt ihr: große Buchstaben, eine sehr energische Handschrift.

a Was bedeuten die Charaktereigenschaften? Ordne die Definitionen zu. Hör zu und vergleiche. 🔊 ① 26

> **1** ruhig **2** energisch **3** vorsichtig **4** spontan **5** optimistisch
> **6** aktiv **7** ordentlich **8** diszipliniert **9** realistisch **10** kreativ

A Man denkt nicht lange nach, man reagiert schnell und sofort. **?**
B Man faulenzt nicht gerne und ist voll Energie. **?** **2** (≠ passiv)
C Man hat viele Ideen. **?**
D Man sieht das Leben so, wie es ist. **?**
E Man findet Regeln sehr wichtig. **?** **7**
F Man mag keinen Stress. **?**
G Man nimmt das Leben positiv. **?** (≠ pessimistisch, traurig, deprimiert)
H Man mag kein Risiko. **?**

> ℹ ● Stress ≈ keine Freizeit, viele Termine

b „Radjays Handschrift ist sehr energisch." Was kann das bedeuten? Analysiere die Handschriften mithilfe der Übersicht.

Liebe Amita,
ich denke immer an
Dich, jeden Tag ... **A**

Lieber Lukas,
ich habe dich gestern mit
Marica im Schwimbad gesehen. **B**

Sehr geehrte
Frau Doktor Berger,
mein Sohn Gerald ... **C**

Schriftmerkmale und Charaktereigenschaften

große Schrift
1 aktiv

kleine Schrift
passiv, realistisch

weite Schrift
2 energisch

enge Schrift
vorsichtig

hftb
3 optimistisch

gjy
realistisch, findet schnell Lösungen für Probleme, gut in Mathematik

links schräg
4 vorsichtig

rechts schräg
energisch, findet viele Dinge interessant

gerade
diszipliniert

da ist viel Platz
5 will Kontrolle

da ist wenig Platz
will Kontakt

nach oben
6 optimistisch

nach unten
pessimistisch, traurig

Man kann die Schrift gut lesen.
7 ordentlich, diszipliniert, möchte gut kommunizieren

Man kann die Schrift schlecht lesen.
kreativ, spontan, findet Gefühle sehr wichtig

c Gruppenarbeit. Schreibt die Zeilen 1 – 7 von „Liebe braucht Zeit" in A2b ab. Die Gruppen tauschen ihre Texte. Analysiert die Handschriften mit den Informationen aus b.

d Diskutiert eure Ergebnisse. Sprecht auch in eurer Muttersprache.

1 Gibt es „richtige" Ergebnisse?
2 Gibt es „falsche" Ergebnisse?
3 Können Handschriften Charaktereigenschaften zeigen? Was meint ihr?

C1 Die Hochzeit

> **Ihnen gefällt** der junge Parem Chand.

a Was meinst du? Wer ist *sie, ihn, ihr* ...? Finde in der Zeichnung die richtigen Namen zu den Pronomen.

Eva und Hans

Alfred
Veronika   Herr Bauer
        Christine

Veronika: Haben Hans und Eva **1 ihn** nicht eingeladen?
Alfred: Doch, sie haben **2 sie** beide eingeladen, schau, dort drüben sind sie.
Veronika: Ach ja. ... Das rosa Kleid passt **3 ihr** aber überhaupt nicht.
Alfred: Ich finde es hübsch.
Veronika: **4 Mir** gefällt es nicht.

> *i* hübsch ≈ schön

Herr Bauer: Hans und Eva haben **5 mich** gefragt, und ich habe **6 ihnen** natürlich geholfen.
Christine: Man kann **7 Ihnen** wirklich nur gratulieren, so eine tolle Feier.
Herr Bauer: Ja, jetzt sind die Vorbereitungen vorbei. Jetzt geht es **8 uns** besser.
Christine: Und die Torte schmeckt **9 ihnen** auch.
Herr Bauer: Ja, **10 mir** auch.

1 Ferdinand Bauer   2 ⋯ ...

> ↻ **Weißt du's noch?**
> S. 129 Pronomen

b Hör zu und vergleiche. ◀)) ❶ 27

c Akkusativ oder Dativ? Ordne die Pronomen aus C1a in die Tabelle ein.

einladen, finden, fragen ... ☐ Akkusativ	passen, gefallen, helfen, gratulieren, es geht, schmecken ... ☐ Dativ
1 ihn, ⋯	⋯
Wen Person ...? Was Sache ...?	Wem Person ...?

d Partnerarbeit. Wen meinst du? Deine Partnerin / Dein Partner versteht dich schlecht und fragt nach. Macht Dialoge mit den Sätzen in C1a.

⊙ Haben Hans und Eva **ihn** nicht eingeladen?
◆ **Wen** haben sie nicht eingeladen?
⊙ Na, Ferdinand Bauer.

◆ Sie haben **sie** beide eingeladen.
⊙ **Wen** ...

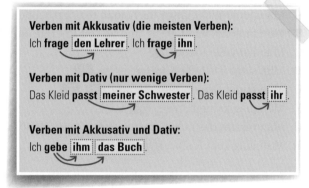

Verben mit Akkusativ (die meisten Verben):
Ich **frage** den Lehrer   Ich **frage** ihn

Verben mit Dativ (nur wenige Verben):
Das Kleid **passt** meiner Schwester   Das Kleid **passt** ihr

Verben mit Akkusativ und Dativ:
Ich **gebe** ihm das Buch

C2 Nach der Hochzeit

> **Das gehört mir.**

a Partnerarbeit. Seht euch die Namen gut an. Deckt dann die Namen ab, fragt und antwortet.

⊙ Wir haben eine Geldbörse gefunden. Gehört sie dir?

◆ Nein, die gehört mir nicht. Ich glaube, die gehört Veronika. Ja, genau, die gehört ihr.

> **gehören** + Dativ

Veronika Alfred Hans und Eva Ferdinand Christine

b Fragespiel. Sammelt Gegenstände in der Klasse. Wem gehört was?

⊙ Markus, gehört das dir?

◆ Nein, das gehört nicht mir, ich glaube, das gehört Eva.

⊙ Eva, gehört das dir?

...

D1 Was soll ich tun?

a Hör die Dialoge. Welche zwei Fotos passen? 1 28

Dialog 1: ?
Dialog 2: ?

A Oskar

B Marvin Andrea

Caroline C

D Andreas Mutter

b Hör noch einmal. Ordne die Dialogteile.

1 Das möchte ich auch, aber ...
2 Du magst Andrea, oder? Mag sie dich auch?
3 Lad sie doch ein.
4 Ich bin nicht sicher. Was soll ich tun?
5 Schon gut, ich verstehe.
6 Das geht leider nicht, Marvin.
7 Heute kann ich nicht, aber vielleicht morgen?
8 Marvin, sie ist ein Mädchen, kein Monster ✿!
9 Du, Andrea, gehen wir heute ins Kino?
10 Sie sagt vielleicht Nein, das ist peinlich.

Dialog 1: _2_, ...
Dialog 2: ....

> *i* peinlich ≈ eine dumme Situation

✿ ● Monster

c Lies und ergänze die Dialoge. Welche Fotos aus D1a passen zu den Situationen? Hör zu und vergleiche. 1 29

✪ musst ✪ muss ✪ kann ✪ musst ✪ kann ✪

Dialog 3:

Caroline: Kommst du heute Abend zu mir? Ich verstehe die Mathematik-Hausaufgabe nicht.

Andrea: Tut mir leid, ich .... nicht. Ich bin mit Marvin verabredet. Wir gehen ins Kino.

Caroline: Ach Andrea, nein ... Du .... kommen ...

Andrea: Caroline, er hat mich gestern gefragt und ich habe Ja gesagt. Was soll ich tun?

Dialog 3: ?
Dialog 4: ?

> *i* verabredet sein ≈ einen Termin mit einer Person haben

Dialog 4:

Mutter: Andrea, ich bin heute Abend weg. Papa hat keinen Schlüssel. Du bist aber zu Hause, ja?

Andrea: Nein, Mama, ich bin verabredet. Ich gehe ins Kino.

Mutter: Das geht nicht, du .... zu Hause bleiben.

Andrea: Aber ich .... nicht zu Hause bleiben, ich .... mit Marvin ins Kino gehen. Er hat mich gestern gefragt und ich habe Ja gesagt. Was soll ich denn jetzt tun?

> ↻ **Weißt du's noch?**
> S.128 Modalverben

d Welche zwei Probleme hat Andrea? Ergänze die Sätze.

Problem 1: *Caroline sagt: „Du musst ..." Aber Andrea will ...*

Problem 2: *Andreas Mutter sagt: „Du musst ..." Aber Andrea will ...*

E1 Optionen

🔊 Das geht nicht, du **musst** zu Hause **bleiben**.

a Partnerarbeit. Was kann Andrea tun? Was passt für Problem 1, was passt für Problem 2 in D1d? Findet weitere Möglichkeiten.

> Sie **kann** Marvin **anrufen**. = Das ist möglich.

> ✪ Marvin anrufen ✪ zu Hause bleiben ✪
> ✪ zu Caroline gehen ✪ ins Kino gehen ✪
> ✪ den Schlüssel der Nachbarin geben ✪
> ✪ Caroline ihre Hausaufgabe geben ✪ ... ✪

Problem 1: ⚬⚬⚬ Problem 2: ⚬⚬⚬

> Andrea kann ...

b Was soll Andrea tun? Was denkst du?

🔊 Was **soll** ich denn jetzt **tun**?

> Ich denke, sie soll ...

sollen	Sie **soll** Marvin **anrufen**.
ich **soll**	= Eine Person denkt, das ist
du sollst	gut für Andrea.
er/es/sie/man **soll**	
wir sollen	
ihr sollt	
sie/Sie sollen	

E2 Entscheidungen

a Partnerarbeit. Sammelt alltägliche Entscheidungen und macht Notizen.

aufstehen oder im Bett bleiben?
Kakao oder Milch?
Hemd oder T-Shirt?
Straßenbahn ✿ oder Bus?
Hamburger oder Salat?
zu spät kommen oder ...?
zuhören oder ...?
...

✿ ● Straßenbahn

b Schreibt einen Text mit den Ideen aus E2a.

> *Soll ich aufstehen oder im Bett bleiben?*
> *...*
>
> *Soll ich ein Computerspiel spielen oder skypen?*
> *Soll ich Maria eine Mail schreiben oder anrufen?*
> *Soll ich fernsehen oder eine DVD ansehen?*
> *Soll ich Musik hören oder wieder einmal ein Buch lesen?*
> *So viele Entscheidungen,*
> *ich glaube, ich werde noch verrückt.*

E3 Argumente für Entscheidungen

a Hör zu. Was mögen die Personen *gern, lieber, am liebsten*? Ergänze. 🔊 ❶ 30

> ⓘ gern ☺ lieber ☺☺ am liebsten ☺☺☺

Dialog 1
Serien ⚬⚬⚬
Krimis ⚬⚬⚬
Dokumentationen ☺

Dialog 2
Salat ⚬⚬⚬
Steak ⚬⚬⚬
Fisch ⚬⚬⚬

b Wie entscheiden sich die Personen? Was will Sandra sehen, was will Miriam essen? Schreib Sätze.

Sandra ...

Miriam ...

c Kettenübung. Was magst du am liebsten?

Getränke:	Kakao, Milch, Mineralwasser, Saft ...
Speisen:	Pizza, Spaghetti, Fisch, Pommes frites, Hamburger, Bratwurst ✿ ...
Schulfächer:	Mathematik, Biologie, Deutsch, Sport ...
Fernsehen:	Krimis, Serien, Unterhaltungssendungen, Dokumentationen ...
Urlaub:	am Meer, in den Bergen, zu Hause ...
Musik:	Jazz, Klassik, Pop, Rock, Hip-Hop ...
Sport:	Tennis, Basketball, Fußball ...

...

> Ich trinke am liebsten Kakao zum Frühstück, und du, Manuel?

> Ich trinke am liebsten Tee. Ich sehe ...

✿ ● Bratwurst

eXtra

F1 Ein Lied: „Der richtige Typ für mich"

a Finde das Gegenteil und schreib Sätze.
Finde weitere Gegensatzpaare.

✪ das Kleid ✪ schlecht ✪ Tee ✪
✪ Kaffee ✪ schnell ✪ die Hose ✪
✪ kalt ✪ gut ✪ hell ✪ ... ✪

Mir gefällt _die Nacht_.   Ihr gefällt _der Tag_.
Mir ist _heiß_.   Ihr ist ·····.
Mir ist es zu _dunkel_.   Ihr ist es zu ·····.
Mir geht es zu _langsam_.   Ihr geht es zu ·····.
Mir schmeckt ·····.   Ihr schmeckt ·····.
Mir passt ·····.   ·····.
Mir geht es ·····.   ·····.
...   ...

b Hör das Lied. Ergänze die Pronomen und einige Wörter aus F1a. **1** 31

Der richtige Typ für mich

Er: Sie mag Schwarz. Ich mag Weiß.
Ihr ist kalt. Mir ist ·····.
Sie mag Regen. Ich mag Schnee.
····· schmeckt Kaffee. Mir schmeckt ·····.
Wir sind so verschieden,
Sie ist nicht so wie ICH!
Sie ist einfach nicht der richtige Typ für mich.

Sie: Er mag den Tag. Ich mag die Nacht.
Er mag die Sieben. Ich mag die Acht.
Ihm ist's zu dunkel. ····· ist's zu ·····.
····· geht's zu ·····. Mir geht's zu schnell.
Warum ist er so anders?
Warum nicht so wie ICH?
Er ist einfach nicht der richtige Typ für mich.

Er: Hey! Dir passt das T-Shirt genauso toll wie mir.
Sie: Hey! Dir steht der Ohrring genauso gut wie mir.
Er: Wow, das ist 'ne Farbe! Sie gefällt uns beiden sehr ...
Sie: Wow, der Rock passt super. Er gefällt ····· noch viel mehr ...
Beide: Du bist nicht so anders, Du bist genau wie ICH!
Du bist ganz genau der richtige Typ für mich!

F2 Kennenlernen im Internet

🖉 Du schreibst deiner Brieffreundin / deinem Brieffreund in Deutschland
oft E-Mails. Wähle drei oder vier Themen aus und schreib eine Mail.

Hallo ...,
Du hast geschrieben, ich soll von ... erzählen.

Meine Familie (_Ich habe ... Mein/Meine ... heißt und ist ... alt._)
Meine Hobbys (_Ich ... gerne ... Am liebsten ... ich ..._)
Meine Lieblingsmusik (_Ich höre gerne ... Meine Lieblingsband ist ..._)
Meine Heimatstadt (_Ich wohne in ... Die Stadt ist ... Es gibt ..._)
Das Wetter in meinem Heimatland (_Im Winter ist es ..._)
Meine Wohnung (_Wir haben ... Es gibt ..._)
Urlaub und Ferien (_Wir fahren/fliegen im Sommer nach ..._)
Schule und Lieblingsgegenstände (_Ich mag ... Ich bin gut in ..._)
Ein Problem mit einem Freund (_Ich hatte ... Ich war ..._)
Kleidung kaufen (_Ich trage gerne ... Ich habe ... gekauft._)
Meine Fernsehgewohnheiten (_Ich sehe gern ..._)

Rosi Rot und Wolfi

16 A

Was für eine Idee!

A1 Verrückte Rekorde

a Ordne die Wortgruppen den Fotos zu. Welche Wörter kannst du auf den Fotos zeigen?

1 praktisch, ○ Haare, ● Friseur

2 singen, ● Sänger, ● Rockkonzert

3 wiegen, ● Tonne (= 1000 kg), ziehen

4 ○ Zähne, ● Zahncreme, putzen

5 klein, lesen, ● Zeitung

6 verrückt, Dinge tun, ● Rekord

b Lies und hör die Texte. Ordne die Fotos zu. **1** 32

Das ist doch verrückt!
Manche Menschen tun verrückte Dinge für das „Guinness Buch der Rekorde".

E ?

1 Lange Haare sind vielleicht schön, aber sind sie auch praktisch? Xie Qiupings Haare sind 5,60 Meter lang. Sie war seit 1973 nicht beim Friseur. Das ist Weltrekord bei den Frauen. Tran Van Hays Haare sind aber noch viel länger. Er war über 30 Jahre nicht beim Friseur. Seine Haare sind heute 6,20 Meter lang. Das ist Weltrekord bei den Männern.

? D ✓

2 Ein Rockkonzert dauert circa 5 Stunden. Danach können Sänger und Fans oft nicht mehr singen. Der Deutsche Hartmut Timm hat 59 Stunden und 15 Minuten ohne Pause gesungen. Das war damals lang genug für das „Guinness Buch der Rekorde".

? F ✓

3 Eine Boeing 747 wiegt so viel wie 150 Autos: 187 Tonnen. Der Australier David Huxley kann eine Boeing 91 Meter weit ziehen. Das hat er am Flughafen in Sydney gezeigt. Das Geld für seinen Weltrekord im Jahre 1997 hat er für arme Kinder gespendet.

? B ✓

4 Es gibt viele Zeitungen in England, große und kleine. Am kleinsten ist die „First News". Sie ist die kleinste Zeitung der Welt und nur 3,2 x 2,2 cm groß. Da braucht man gute Augen und kleine Hände!

? A ✓

5 Gesunde Zähne sind wichtig! Marianne Kalb aus der Schweiz hält den Weltrekord im Zähneputzen. Ziemlich genau 14 Stunden lang hat sie ohne Pause ihre Zähne geputzt – natürlich mit einer Spezial-Zahncreme.

? C ✓

A ?

B ?

A2 Das ist Weltrekord

a Lies die Texte noch einmal. Ordne zu und ergänze.

1 Tran Van Hays Haare ...	**A** ... kann eine Boeing 747 ⸱⸱⸱ weit ziehen.
2 Hartmut Timm aus Deutschland ...	**B** ... hat ⸱⸱⸱ lang ihre Zähne geputzt.
3 David Huxley aus Australien ...	**C** ... sind ⸱⸱⸱ lang.
4 Die Zeitung „First News" aus England ...	**D** ... hat ⸱⸱⸱ ohne Pause gesungen.
5 Marianne Kalb aus der Schweiz ...	**E** ... ist nur ⸱⸱⸱ groß.

b Ein Text ist falsch. Welcher? Warum? Diskutiert in der Klasse.

⊙ Ich denke, Text 2 ist falsch. Neunundfünfzig Stunden lang singen, das ist unmöglich.

⊙ ... Das gibt es nicht.

⊙ ... Ich glaube das nicht.

◆ Warum nicht? Ein Popkonzert dauert auch sehr lang.

◆ Doch, ich glaube, das ist möglich.

◆ Du hast recht, das ist wahrscheinlich falsch.

Lösung: Seite 141

F ?

C ?

D ?

E ?

B1 Wie schnell, wie hoch, wie schwer ...?

> Eine Boeing 747 **wiegt** so viel wie 150 Autos: **187 Tonnen**.

a Ordne zu. Hör zu, wiederhole und vergleiche. 33

- Stunde • Kubikzentimeter • Grad • Minute
- Kilometer • Stundenkilometer • Tonne
- Zentimeter • Liter • Gramm • Sekunde
- Quadratzentimeter • Meter • Kilo(gramm)

1 m	6 km/h	11 g .....
2 cm	7 h	12 kg .....
3 cm²	8 '(min)	13 t .....
4 cm³	9 "(s)	14 ° .....
5 km	10 l	

b Ordne die Wörter aus B1a.

Länge, Breite, Höhe	Meter, Zentimeter, ...
Fläche	.....
Raum	Liter, ...
Zeit, Geschwindigkeit	....., ..., ..., ...
Gewicht	....., ..., ...
Temperatur	.....

c Welche Antwort passt? Was meinst du? Hör zu und vergleiche. 34

A 320 km/h	**B** 5 Tonnen	**C** 180 kg
D 3x20 Minuten ohne Pause		**E** 324 km²
F 12 m³	**G** 75x45 Meter	**H** 586 km

1 Wie viel wiegt ein Sumoringer? ?
2 Wie schnell fährt ein Formel 1-Rennwagen? ?
3 Wie lange dauert ein Eishockeyspiel? ?
4 Wie schwer ist eine Lokomotive? ?
5 Wie lang und wie breit ist ein Fußballfeld? ?
6 Wie weit ist es von München nach Berlin? ?
7 Wie groß ist Liechtenstein? ?
8 Wie viel Sauerstoff (O$_2$) brauchen wir in einer Stunde? ?

B2 Noch mehr Rekorde

a Partnerarbeit. Ergänzt die Sätze und findet Antworten. Was meint ihr?

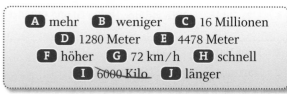

A mehr	**B** weniger	**C** 16 Millionen
D 1280 Meter		**E** 4478 Meter
F höher	**G** 72 km/h	**H** schnell
I ~~6000 Kilo~~		**J** länger

1 Ein Mensch isst in seinem Leben **I** Obst. Er isst aber viel **?** Gemüse. Wie viel wohl? .....
2 In Spanien gibt es **?** Autos. In Deutschland gibt es **?** als doppelt so viele. Wie viele? .....
3 Die Golden Gate Brücke ist **?** lang. Die Brücke über den Großen Belt in Dänemark ist **?** . Wie lang wohl? .....
4 Das Matterhorn in der Schweiz ist **?** hoch. Der Mont Blanc in Frankreich ist **?** . Wie hoch wohl? .....
5 Ein Hase kann **?** schnell laufen. Ein Gepard läuft doppelt so **?** . Wie schnell genau? .....

> ℹ doppelt so schnell = 2x so schnell

b Hört die Lösung und vergleicht.  35

d Welche Kategorien aus B1b passen zu den Fragen?

1 *Gewicht*   2 ....

e Partnerarbeit. Schreibt Fragen zu den Informationen in A1b. Macht ein Quiz.

Wie lang sind ...?

⊙ Wie lang sind Xie Qiupings Haare?
◆ Sechs Meter zwanzig.
⊙ Falsch. Xie Qiupings Haare sind fünf Meter sechzig lang.
◆ Wie schwer ist eine Boeing 747?
...

B3 Wie viel genau?

> **Ziemlich genau** 14 Stunden lang hat sie ohne Pause ihre Zähne geputzt.

a) Was passt? Ordne zu.

Das ist ziemlich teuer.

1	Das ist nicht so teuer.	**D**
2	Das ist viel zu teuer.	?
3	Das kostet nichts.	?
4	Das kostet circa 12 Euro.	?

A Es kostet 11,90 € oder 12,10 €.

C Nur heute: Luftballons gratis!

B Das ist nichts für mich, das kaufe ich nicht.

D Vielleicht kaufe ich es.

5	Das ist ziemlich teuer.	?
6	Das kostet nur die Hälfte.	?
7	Das kostet fast 9 Euro.	?
8	Das kostet ein paar Euro.	?

E 8,90€

G Es ist teuer, aber nicht sehr teuer.

F -50%

H

9	Das ist 30 Prozent billiger.	?
10	Das kostet nur ein Viertel.	?
11	Das kostet ein bisschen mehr als ich habe.	?
12	Das kostet wenig.	?

I 64, 16,-

K Ich habe 7,80€, aber es kostet 9€.

J Das kostet nicht viel.

L -30%

b) Partnerarbeit. Schreib Rätselfragen für deine Partnerin / deinen Partner. Macht ein Zahlenquiz.

1 Mein Vater ist 38 Jahre alt. Meine Mutter ist ein bisschen jünger. Wie alt ist meine Mutter?
2 Ich bin 1,62 Meter groß, mein Vater ist viel größer. Wie groß ist er?
...

- Familie
- Wohnung
- Haustiere
- ...

... war ziemlich teuer / 20% billiger ...
... hat die Hälfte / ein Viertel gekostet ...
... viel größer / älter ...
... ein bisschen größer / kleiner / älter ...
... ein paar Jahre älter / jünger ...
... 20% weniger / mehr ...

C1 Superlative

> **Am kleinsten** ist die „First News".
> Sie ist **die kleinste** Zeitung der Welt.

a) Ergänze die Tabelle. Hör zu und vergleiche.

Superlativ

Es gibt viele kleine Zeitungen.

Die „First News" ist **am kleinsten**.

Sie ist **die klein**ste Zeitung der Welt.

● **der** klein**ste** Mensch / ● **das** klein**ste** Land /
● **die** klein**ste** Stadt / ● **die** klein**sten** Länder

	Komparativ	Superlativ
lang	.....	am längsten
alt	.....	am ältesten
gut	.....	am besten
viel	.....	am meisten
gern	.....	am liebsten

b) Rekorde. Ergänze die Superlative. Welche drei Informationen stimmen nicht? Was meinst du?

1 Das *(schwer)* schwerste Tier ist der Wal.
Er wird bis zu 200 Tonnen schwer.

2 Der Kontinent mit den *(viel)* ..... Sprachen ist Asien.
Dort spricht man 800 verschiedene Sprachen.

3 Kleine Länder gibt es viele. Der Vatikan ist am
(klein) ...... Er ist nur 0,45 km² groß.

4 Der *(groß)* ..... Ozean ist der Pazifik. Er ist größer
als Asien, Afrika und Nordamerika zusammen.

5 Die *(viele)* ..... Menschen sprechen Englisch als
Muttersprache. Es sind 450 Millionen.

6 Das Faultier und die Schildkröte sind
nicht die schnellsten Tiere, aber am
(langsam) ..... ist die Schnecke.

c) Hör zu und korrigiere die drei falschen Rekorde in C1b.

Das langsamste Tier ist nicht die Schnecke.
Das Faultier ist ..... als die Schnecke.

C2 Favoriten

a) Hör zu und ergänze die Dialoge.

☉ am tollsten ☉ langweiliger ☉ teurer ☉
☉ am besten ☉ beste ☉ beste ☉
☉ am liebsten ☉ am besten ☉

1
☉ Wo gibt es das ..... Eis in der Stadt?
◆ Ich weiß nicht. Ich denke, die Eisdiele
am Bahnhof hat das ..... Eis. Es ist aber
..... als bei der Eisdiele in der Stadt.

2
☉ Welcher Schauspieler gefällt dir .....,
Michaela?
◆ Brad Pitt sieht ..... aus. Aber
Leonardo di Caprio finde ich ......

3
☉ Was ist dein Lieblingssport, Sonja?
◆ Volleyball mag ich ...... Fußball mag
ich nicht so gern, Fußball finde ich
viel ..... als Volleyball.

b) Partnerarbeit. Macht Dialoge wie in C2a.

Welchen / Welches / Welche ... findest du am ...?
Wo gibt es den / das / die ...?
Was ist der / das / die ...?
Wer ist der / das / die ...?

☉ Sportart ☉ Film ☉ Schulfach ☉
☉ Platz in der Stadt ☉ Geschäft in der Stadt ☉
☉ Text in deinem Deutschbuch ☉
☉ Fernsehsendung ☉ Stadt ☉
☉ Verkehrsmittel ☉ Urlaubsort ☉ ...

☉ langweilig ☉ interessant ☉ ruhig ☉
☉ gefährlich ☉ groß ☉ toll ☉ praktisch ☉
☉ gemütlich ☉ klein ☉ verrückt ☉
☉ schnell ☉ teuer ☉ billig ☉ schwierig ☉
☉ schön ☉ einfach ☉ lang ☉

D1 Dieses „Märchen" darfst du nicht glauben!

> ℹ ● Märchen ≈ *hier:* Geschichte, nicht real

a Welches Thema passt zu welchem Foto? Ordne zu.

A Haustiere
B Sport
C Mopedreparatur

 1 ?

 2 ?

 3 ?

b Welche Wörter passen zu Thema A, B und C? Was meinst du?

(1) Kraul schwimmen ?

(2) Meerschweinchen ?

(3) die Meisterschaft gewinnen ?

(4) Techniker ?

(5) reparieren ?

(6) Brust schwimmen ?

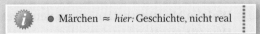 (7) Pferd ?

(8) Batterien wechseln ?

(9) Rücken schwimmen ?

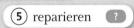 (10) ein Hund macht Saltos ?

 (11) Rettungsschwimmen ?

 (12) Haustierallergie ?

c Hör die Dialoge. Jan, Leonie und Charlotte erzählen „Märchen". Wer erzählt was? 🔊 1 39

1 Ich war der Schnellste über 200 Meter Kraul, 200 Meter Rücken und 100 Meter Kraul.
2 Mein Vater hat ein Pferd gekauft.
3 Mein Vater war der Schnellste über 100 Meter Brust.
4 Meine Meerschweinchen können Rad fahren.
5 Mein Bruder ist der beste Techniker in der Familie.
6 Mein Hund kann Saltos machen.
7 Mein Vater hat bei Schwimmmeisterschaften gewonnen.
8 Mein Bruder kann alles reparieren.

> ℹ der schnellste ~~Schwimmer~~
> ☐ der Schnellste

Dialog 1: Jan: 1, ·····
Dialog 2: Leonie: ·····
Dialog 3: Charlotte: ·····

d Hör noch einmal. Warum stimmen die Geschichten nicht? Kreuze an.

1 Jan: ? Jans Vater war Rettungsschwimmer.
                  ? Jans Vater ist zu langsam geschwommen.

2 Leonie: ? Leonies Bruder hat ihr Moped repariert.
                  ? Leonies Bruder sagt, er kann keine Mopeds reparieren.

3 Charlotte: ? Charlotte hat eine Haustierallergie.
                  ? Hunde können keine Saltos machen.

> *Ich denke, manche Menschen wollen einfach …*

> *Ich glaube, viele wollen …*

e Warum erzählt jemand Lügengeschichten? Was meinst du?

✪ interessant / wichtig sein wollen ✪
✪ viele Ideen haben ✪ ein bisschen verrückt sein ✪
✪ gute Geschichten erzählen wollen ✪ viele Wünsche haben ✪ … ✪

> ℹ ● Lüge ≈ Geschichte, nicht wahr

E1 Lügengeschichten

🔊 Charlotte sagt, **dass** ihr Hund Saltos **macht**.

a Welche Märchen erzählen Jan, Leonie und Charlotte? Schreib Sätze.

1 Hund – Saltos machen
2 Bruder – der beste Techniker in der Familie sein
3 Vater – bei Schwimmmeisterschaften gewonnen haben

1 Charlotte sagt, dass ihr Hund ...

> **Nebensatz mit dass**
> Charlotte: „Mein Hund **macht** Saltos."
>
> Charlotte sagt, **dass** ihr Hund Saltos **macht**.

b Welche Märchen erzählt Martin? Schreib seine Lügengeschichten auf.

Mutter – vier Musikinstrumente spielen
Bruder – Ferrari haben
Freund – bei den Judo-Weltmeisterschaften mitmachen
Schwester – bei einer Fernsehshow gewinnen
Martin – nur Markenkleidung kaufen
Großeltern – Haus in Asien haben
Onkel – in Hollywood arbeiten und viele Filmstars kennen

Martin sagt, dass seine Mutter vier Musikinstrumente spielt. ...

E2 In Wirklichkeit ...

a Partnerarbeit. Was ist wohl die Wahrheit? Findet wahre Sätze zu Martins Lügengeschichten in E1b.

In Wirklichkeit spielt seine Mutter nur ein bisschen Klavier. ...

b Macht Dialoge mit den Sätzen aus E1a und E1b.

🔊 **Diese** Geschichte stimmt sicher nicht.

☉ Martin hat gesagt, dass ...
◆ Diesen Unsinn/Dieses Märchen/Diese Geschichte darfst du nicht glauben. In Wirklichkeit ...

> dies**er** ● Unsinn   d**er**
> (Akk. dies**en** Unsinn) (Akk. d**en**)
> dies**es** ● Märchen   das
> dies**e** ● Geschichte   die
> dies**e** ○ Geschichten die

E3 Falsche Geschichten entdecken

🔊 **Welche** Meisterschaften waren denn das?
Was für ein Hund ist denn das?

a Findet Fragen für Martins Geschichten und die Geschichten aus den Hörtexten. Ordnet zu.

1 Welche Instrumente **B**
2 Welche Filmstars **?**
3 Was für Geräte **?**
4 Welche Farbe **?**
5 Was für ein Haus **?**
6 Was für eine Fernsehshow **?**
7 Was für ein Pferd **?**
8 Welche Meisterschaften **?**

> **A** hat der Ferrari?
> **B** spielt sie denn?
> **C** war denn das?
> **D** hat ihr Vater gekauft?
> **E** hat ihr Bruder schon repariert?
> **F** haben sie dort in Asien?
> **G** hast du denn gewonnen?
> **H** kennt er denn?

ℹ️ Welcher Hund?
Was für ein Hund?

Welcher Hund aus der Gruppe ist es?
Ist er groß, klein ...?

> Was für ein ● Hund ...?
> Was für ein ● Auto ...?
> Was für eine ● Fernsehshow ...?
> Was für ○ Geräte ...?

b Gruppenarbeit. Schreibt richtige und falsche Informationen über euch, eure Familie und eure Freunde auf. Lest die Sätze in der Gruppe vor. Die anderen sollen Fragen stellen und die falschen Sätze finden.

Meine Mutter war die Beste in Mathematik.
Mein Großvater hat drei Autos.
Ich kann ...

Was für einen Beruf hat deine Mutter?

eXtra

F1 Gefährliche Lügen

a Lies und hör den Text. Ordne die Fotos A, B, C den Textteilen zu. ① 40

Hochstapler

? „Ich bin amerikanischer Major. Ich muss hier in Ihrem Ort eine NATO-Konferenz organisieren." Alle Menschen in der ostdeutschen Kleinstadt sind nervös. Eine NATO-Konferenz in ihrem Ort? Kann das stimmen? Doch der amerikanische Major war schon im Rathaus und hat dort seine Pläne präsentiert. Es muss stimmen. Alle im Ort beginnen mit den Vorbereitungen. Der Major ist inzwischen abgereist. Die NATO-Konferenz hat es nie gegeben.

? „Ich organisiere Reisen auf den Mond. Ich suche noch Passagiere." Ein Manager aus Hamburg hört interessiert zu. Es ist eine fantastische Geschichte: die NASA-Rakete, der Flug zum Mond ... Er glaubt jedes Wort. Er will einfach jedes Wort glauben. Schließlich kauft er ein Ticket. Der Preis: 2,5 Millionen €. Er sieht den Mann und sein Geld nie wieder.

? Der amerikanische Major und der Mondreisende waren Thorsten S. und Jürgen H., zwei Hochstapler aus Deutschland. Hochstapler erzählen Lügengeschichten. Sie machen ihr Leben mit ihren Geschichten interessanter. „Die Geschichte muss einfach und logisch sein, oder extrem unlogisch," meint Thorsten S. und lächelt. „Am Ende glaube ich meine Geschichten oft selbst", erzählt Jürgen H.
Doch der Preis für das neue, interessantere Leben ist meist sehr hoch. In Alexander Adolphs Dokumentarfilm „Hochstapler" erzählen Thorsten S. und Jürgen H. ihre Geschichten. Alexander Adolph hat die Interviews in einem Gefängnis gemacht. Denn dort sitzen die beiden Hochstapler jetzt schon seit ein paar Jahren.

b Lies den Text noch einmal. Beantworte die Fragen. Schreib Sätze.

1 Was für eine Lügengeschichte hat Thorsten S. erzählt?
Thorsten S. hat gesagt, dass er ...

2 Was für eine Lügengeschichte hat Jürgen H. erzählt?

3 Warum erzählen Hochstapler Lügengeschichten?

4 Was ist oft der Preis für ihre Geschichten?

● Gefängnis

● Flug zum Mond

● NATO-Konferenz

F2 „Tag der Rekorde"

Lies die Anzeige und melde dich für den „Tag der Rekorde" an.

Kannst du in einer Minute mehr SMS schreiben als deine Freunde?
(Elliot Nicholls Weltrekord sind 160 Zeichen in 45 Sekunden)

Hast du mehr Bleistifte als deine Lehrerin / dein Lehrer?
(Emilio Arenas aus Uruguay hat fast 6900 Bleistifte)

Dann melde dich zum „Tag der Rekorde" an!
Anmeldeschluss: 31.10.
Anmeldegebühr: 10 €

Anmeldeformular	Name:	Vorname:

Beschreib deine Rekordidee:

Ich kann ... sehr schnell / schneller als ...
Aber ich kann sicher noch schneller / noch mehr ...

Unterschrift:

Rosi Rot und Wolfi

Trachten in den deutschsprachigen Ländern

LK1 Fakten

🔊 ① 41

a) Welche Tracht trägt man wo? Hör den Text, finde die richtige Tracht und die passende Region auf der Karte.

Für viele Regionen in Deutschland, Österreich und der Schweiz gibt es eine typische, traditionelle Kleidung: die Tracht. Vier Beispiele für traditionelle Trachten siehst du hier auf den Fotos. Die Trachten kommen aus Bayern, Niedersachsen, Tirol und dem Kanton Graubünden. Doch welche Tracht kommt aus welcher Region?

• Dirndl
A 🞄🞄🞄🞄🞄
• Lederhose

B 🞄🞄🞄🞄🞄

C 🞄🞄🞄🞄🞄

D 🞄🞄🞄🞄🞄

b) Hör noch einmal und notiere die Informationen. Finde auch andere wichtige Städte (1–12 auf der Landkarte in **a**). Die Landkarte auf der 2. Umschlagseite kann dir helfen.

		Deutschland	Österreich	Schweiz
1	Einwohner	83 Millionen	🞄🞄🞄🞄🞄	🞄🞄🞄🞄🞄
2	Bundesländer/Kantone	🞄🞄🞄🞄🞄	9 (z.B. Tirol)	🞄🞄🞄🞄🞄
3	das größte Bundesland	🞄🞄🞄🞄🞄	–	–
4	das kleinste Bundesland	–	🞄🞄🞄🞄🞄	–
5	Hauptstadt	🞄🞄🞄🞄🞄	🞄🞄🞄🞄🞄	🞄🞄🞄🞄🞄
6	andere wichtige Städte	🞄🞄🞄🞄🞄	🞄🞄🞄🞄🞄	🞄🞄🞄🞄🞄

c) Partnerarbeit. Macht ein Miniquiz. Findet fünf Fragen und fragt eure Partnerin / euren Partner.

Wo liegt ...?

In Deutschland / Österreich ...
Im Norden / Süden / Nordosten / ...

Wie viele Menschen leben in ...?

Was ist das größte Land / das größte Bundesland / die größte Stadt in ...?

Was für eine Tracht trägt man ...?

Welches Bundesland in ... ist am kleinsten / am größten?

Welche Stadt ist die Hauptstadt von ...?

LK2 Beispiele

a) Lies den Anfang des Interviews mit Maximilian.
Warum trägt Maximilian manchmal Tracht?

> **Rock gefällt mir besser**
>
> **Schülerzeitung:** Maximilian, du bist Mitglied in einem Trachtenverein. Was macht ihr dort?
>
> **Maximilian:** Wir üben verschiedene Volkstänze. Die Tänze zeigen wir dann auf Volksfesten oder Bällen.
>
> **Schülerzeitung:** Ihr tragt dann auch eine Tracht. Wie sieht eure Tracht denn aus?
>
> ...

Der Trachtenverein zeigt einen Volkstanz.

b) Hör nun das ganze Interview mit Maximilian. Beantworte dann die Fragen.

1 Was macht Maximilian im Trachtenverein?
2 Wie sieht Maximilians Tracht aus?

3 Warum trägt Maximilian in der Schule lieber Jeans?
4 Welche Musik gefällt Maximilian?

c) Jeans oder Tracht, Rock oder Volksmusik? Warum nicht beides? Warum nicht „Crossover"? Lies die Texte. Welcher Text passt zu welchem Foto?

1 Volksmusik und Popmusik? Volkstanz und Rock? Einige Musiker finden „Crossover"-Musik interessant. Die Musik von Hubert von Goisern ist ein Beispiel für diesen Musikstil.

2 Auf dem Münchner Oktoberfest sind Trachten ein Muss. Manche Besucher sieht man aber auch in „Crossover"-Kleidung: T-Shirts und Lederhosen. Warum nicht?

d) „Oben und unten" („Obn und untn"). Hör das Lied von Hubert von Goisern.
Warum ist Hubert von Goiserns Lied „Crossover"-Musik? Sprich in deiner Muttersprache.

e) Hubert von Goisern singt im Dialekt. Hör noch einmal und lies den Refrain mit.
Welche Zusammenfassung (1, 2 oder 3) ist wohl richtig?

> aba solang no de musi spült
> und da kruag mit bier se füllt
> bleibn ma nu a wengal sitzen
> und iawaramoi toan ma juchitzen

1 Jeden Sonntag spiele ich Karten und trinke Bier ✿. Dann fühle ich mich richtig gut.

2 Die Musik spielt. Wir haben genug Bier. Bleiben wir doch sitzen und singen wir gemeinsam.

3 Ich habe viel Bier getrunken. Ich bleibe jetzt hier am Weg sitzen und schlafe ein bisschen.

✿ ● Bier

LK3 Und jetzt du!

Macht Notizen zu den Fragen und diskutiert in der Klasse.

1 Welche Musik ist in eurer Klasse beliebt, welche Musik ist unbeliebt?
2 Welche Kleidung ist „in", welche Kleidung ist „out"?
3 Gibt es in eurem Heimatland eine traditionelle Kleidung? Wie sieht sie aus?

4 Wer trägt diese Kleidung?
5 Wann trägt man diese Kleidung?
6 Gibt es Volksmusik?
7 Hörst du Volksmusik?
8 Wem gefällt Volksmusik?

Projekt — Eine Umfrage in der Klasse

P1 Macht eine Umfrage.

a Gruppenarbeit. Wählt ein Thema.

Kommunikation

Urlaubsgewohnheiten

Geld verdienen – Geld ausgeben

Rekorde in der Klasse

Wetter

b Sammelt Fragen für die Umfrage. Macht dann einen Fragebogen mit fünf Fragen wie im Beispiel.

Wetter

1 Was ist deine Lieblingsjahreszeit? ⬤⬤⬤⬤

2 Wie findest du das Wetter?	Regen	Schnee	Sonne	Nebel
super ☺	?	?	?	?
okay ☻	?	?	?	?
schrecklich ☹	?	?	?	?

○ Was ○ Wer ○ Wann ○
○ Wie lange ○ Wie oft ○
○ Warum ○ Wie viel ○ Wo ○
Woher ○ Wohin ○ Wie ○
○ Welch- ○ Was für ein ○

Kommunikation

1 Welche Kommunikationsmittel gibt es bei dir zu Hause?
   ? Telefon   ? Handy
   ? Faxgerät   ? Internet   ? ⬤⬤⬤⬤
2 Hast du ein Handy?   ? ja   ? nein

Geld verdienen – Geld ausgeben

1 Hattest du schon einmal einen Ferienjob?
   ? ja   ? nein
2 Wie viel Geld pro Monat gibst du für diese Dinge aus?
   Süßigkeiten, Schokolade ⬤⬤⬤⬤   Kleidung ⬤⬤⬤⬤
   Musik ⬤⬤⬤⬤   Sonstiges ⬤⬤⬤⬤

Rekorde in der Klasse

1 Kannst du ein Instrument spielen?   ? ja   ? nein
2 Wie lange hast du das Instrument gelernt? ⬤⬤⬤⬤

3 Welche Dinge sammelst du?
   ? Briefmarken   ? Autogrammkarten
   ? CDs   ? Kakteen   ? Bücher   ? ⬤⬤⬤⬤

Urlaubsgewohnheiten

1 Machst du mit deiner Familie Urlaub? ☐ ja ☐ nein
2 Wo warst du in deinem letzten Urlaub? ☐ im Ausland ☐ im Inland ☐ in ⬤⬤⬤⬤
3 Wie bist du in den Urlaub gefahren? Mit dem
   ☐ Auto ☐ Zug ☐ Flugzeug ☐ Fahrrad ☐ Bus
4 Wo hast du gewohnt? ☐ im Hotel ☐ auf dem Campingplatz
   ☐ in einer Ferienwohnung ☐ bei Freunden oder Verwandten
5 Welche und wie viele Gepäckstücke hattest du?
   ☐ Koffer ✿ ☐ Rucksack ☐ Reisetasche ☐ Sonstiges

✿ ● Koffer

c Jeder in der Gruppe hat den Fragebogen und fragt Schülerinnen und Schüler aus einer anderen Gruppe. Notiert die Antworten.

Frage	1	2	3	4	5
Ardan	nein	im Ausland	mit dem Bus	auf dem Campingplatz	Rucksack
Özlem	ja	in Deutschland	mit dem Flugzeug	⬤⬤⬤⬤	⬤⬤⬤⬤
Nermin	nein	in Italien	⬤⬤⬤⬤	bei Freunden	⬤⬤⬤⬤

P2 Schreibt einen Bericht und macht ein Poster.

a Arbeite jetzt wieder in deiner Gruppe. Berichte über die Antworten.
Für einige Antworten könnt ihr auch Grafiken und Diagramme zeichnen.

Machst du mit deiner Familie Urlaub?
Nein 30 %
Ja 70 %

Schüler — **Wo hast du im Urlaub gewohnt?**

im Hotel | auf dem Campingplatz | in einer Ferienwohnung | bei Freunden oder Verwandten

b Schreibt kurze Texte zu den Fragen aus P1b.

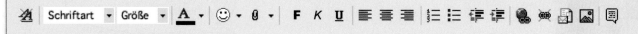

Verkehrsmittel
10 Schülerinnen und Schüler sind mit dem Auto in den Urlaub gefahren. Sie finden das Auto bequem und praktisch. Nur eine Schülerin ist mit dem Flugzeug nach Spanien geflogen. Drei Schüler sind mit dem Bus in ein Feriencamp gefahren. Niemand ist mit dem Zug oder mit dem Fahrrad gefahren. Aber Melissa hat gesagt, dass sie in den nächsten Ferien eine große Fahrradtour machen möchte.

c Macht in der Gruppe ein Poster mit den Texten und Grafiken. Sammelt auch Bilder aus Zeitschriften oder aus dem Internet und illustriert das Poster. Bereitet die Präsentation vor.

P3 Präsentiert eure Resultate.

Zeigt das Poster in der Klasse und präsentiert die Resultate. Jeder in der Gruppe soll etwas sagen.

1. Präsentiert zuerst das Thema.

> Wir haben eine Umfrage zum Thema ... gemacht. Das waren unsere Fragen: ...

2. Präsentiert die Resultate.

> Acht Schüler in der Klasse haben gesagt, dass sie ...

3. Was war interessant?

> Julio hat gesagt, dass er ... Das war besonders interessant.

Grammatik

Finde die Satzzitate 💬 in den Lektionen 13 – 16.

G1 Verb

a Konjugation (Modalverb *sollen*)

	sollen
ich	soll
du	sollst
er, es, sie, man	soll
wir	sollen
ihr	sollt
sie, Sie	sollen

Was soll ich anziehen?

Soll ich aufstehen oder im Bett bleiben?

→ S.32

b Partizip II (trennbare Verben, Verben mit *ver-, er-, be-, ent-* und Verben auf *-ieren*)

Gestern **sind** wir in Porto Deseado **angekommen**.

Trennbare Verben (mit -ge-):	
an kommen	an ge kommen

Verben mit *be-, ent-, er-, ver-* (ohne -ge-):	
bekommen	**be**kommen
entschuldigen	**ent**schuldigt
erzählen	**er**zählt
verlieren	**ver**loren

Verben auf *-ieren* (ohne -ge-):	
train**ieren**	train**iert**

anfangen → an**ge**fangen
ver-, er-, be-, ent- → ohne -ge-
-ieren → ohne -ge-

Der Sturm hat nicht aufgehört.

→ S.22

c Verben mit Dativ

☉ Schau, die Torte schmeckt **deinem Hund**.

◆ Nein, Bello! Hör auf!

Wem?
Die Torte schmeckt dem Hund.
Die Torte schmeckt ihm.

Verben mit Dativ (nur wenige Verben):
passen, gefallen, gratulieren, gehören, helfen, schmecken, es geht …

Verben mit Dativ und Akkusativ: geben, erzählen …

→ S.30

Wir haben eine Geldbörse gefunden. Gehört sie dir?

d Konjunktiv II: Höfliche Fragen / Bitten

Frage	
	Kann ich … probieren?
☺ freundlicher:	**Könnte** ich … **probieren**?

Bitte	
	Komm mit!
☺ freundlicher:	**Würdest** du **mitkommen**?
	Könntest du **mitkommen**?

			zum Vergleich:
ich	könnte	würde	möchte
du	könntest	würdest	möchtest
er, es, sie, man	könnte	würde	möchte
wir	könnten	würden	möchten
ihr	könntet	würdet	möchtet
sie, Sie	könnten	würden	möchten

er, es, sie, man: **-e**

Könnte ich die Hose eine Nummer kleiner haben?

→ S.16

Würdest du mitkommen?

G2 Artikel, Nomen und Pronomen, Präpositionen

a) Artikelwörter (Demonstrativartikel)

		zum Vergleich:		zum Vergleich:
maskulin	dieser Pullover	der Pullover	Was für ein(-) Pullover?	mein(-) Pullover
neutral	dieses Kleid	das Kleid	Was für ein(-) Kleid?	mein(-) Kleid
feminin	diese Hose	die Hose	Was für eine Hose?	meine Hose
Plural	diese Schuhe	die Schuhe	Was für (-) Schuhe?	meine Schuhe

Diesen Unsinn darfst du nicht glauben.

→ S. 40

b) Fragepronomen: Wer? / Wen? / Wem?

Wer? **Wen?**

⊙ Hat **er** **ihn** eingeladen?

Wem?

◆ Ja, aber der Termin passt **ihm** nicht.

Wer hat ihn eingeladen?   → er   = Nominativ
Wen hat er eingeladen?   → ihn = Akkusativ
Wem passt der Termin nicht? → ihm = Dativ

→ S. 30

c) Präpositionen mit Akkusativ

Mit dem Motorrad **durch** die Sahara.

Mit der „Queen Victoria" **um** die Welt.

durch

um

+ Akkusativ

Mit dem Fahrrad in 10 Tagen durch Australien.

→ S. 24

G3 Adjektiv

a) Komparativ

Toms Handy ist **kleiner als** Sabines Handy.
Es ist **so klein wie** meine Uhr.

klein – klein**er**

Zieh den Mantel an, der ist wärmer als die Jacke.

⚠ kurze Adjektive mit a, o, u: warm – wärmer, groß – größer, kurz – kürzer …
  Adjektive auf -el und -er: dunkel – dunkler, teuer – teurer …
  Besondere Formen: hoch – höher, gut – besser, viel – mehr, gern – lieber

Autos sind so schnell wie Züge.

→ S. 13, 14

b) Superlativ

Das Mineralwasser ist **am billigsten**, das nehme ich.

der billig**ste** Hamburger

das billig**ste** Eis

die billig**ste** Pizza

die billig**sten** Getränke

Cola 1,80 €
Orangensaft 1,50 €
Mineralwasser 1,00 €

billig	**am** billig**sten**
	der / das / die billig**ste** …
	die billig**sten** …

Wo gibt es das beste Eis in der Stadt? Welcher Schauspieler gefällt dir am besten?

⚠ Kurze Adjektive mit a, o, u: am wärmsten, am größten …
  Besondere Formen: gut – **am besten**, viel – **am meisten**, gern – **am liebsten**

→ S. 38

G4 Satz

Nebensatz mit dass

Martin: „Mein Bruder (hat) einen Ferrari."   Martin sagt, **dass** sein Bruder einen Ferrari (hat).

„Das (ist) ein Märchen."   Ich glaube, **dass** das ein Märchen (ist).

Gestern, heute und morgen

Das sind die Themen in Modul 5:

Ordne die Themen zu.

1 Das Restaurant „Fifteen": Eine Chance für arbeitslose Jugendliche.

2 Ein Job im Supermarkt

3 *Das Wasserglas kommt rechts neben das Weinglas …*

4 Eine Zeitreise ins Jahr 1902

5 Realityshows

6 *Früher mussten wir die Wäsche mit der Hand waschen.*

Du lernst …

Sprechen

- im Restaurant Essen und Trinken bestellen
- über Ausbildungs- und Berufspläne sprechen
- über Probleme und Regeln im Job sprechen
- über den Tagesablauf sprechen
- Vergangenheit und Gegenwart vergleichen
- erklären, warum etwas nicht funktioniert
- über Vorbilder, Helden und Idole sprechen
- über Sportaktivitäten sprechen
- über Verbote sprechen
- Ratschläge geben

Schreiben

- einen Text über die Ausbildung und den Beruf von einer / einem Bekannten schreiben
- einen Text über die eigene Vergangenheit schreiben
- einen Text über ein persönliches Vorbild / Idol schreiben
- eine Antwort auf eine Einladung zu einer Geburtstagsparty schreiben

DIE WEISSE ROSE
Ein Film von Michael Verhoeven

7 Hermann Maier: ein schrecklicher Unfall und ein tolles Comeback

8 Gegen die Diktatur und für die Freiheit: Die „Weiße Rose"

9 Vorbilder und Idole von gestern

10 Das „Seijin No Hi"-Fest ist anstrengend für die Mädchen.

11  Wie fühlst du dich vor dem Sprung?

12 Da oben steht jemand. Ich wette, er springt.

Lesetexte

- Ein Projekt für jugendliche Arbeitslose
- Schwarzwaldhaus 1902
- Ein unglaubliches Comeback
- Die „Weiße Rose"
- Erwachsenwerden in Japan und auf Pentecoste
- Mutproben

Hörtexte

- Prüfungen
- Im SB-Restaurant
- Regeln in Realityshows
- Eine Umfrage vor dem Einkaufszentrum
- Gespräch über einen Film
- Ein Lied: „Helden von heute"
- Sportreportagen
- Gute (?) Ratschläge
- Interview mit einem Extremsportler
- Jugendliche und ihr Leben (Probleme im Job, Alltag früher und heute, Idole, Die Mutprobe)

Wenn ich das schaffe, ...

A1 Das Rezept

a Lies und hör den Textanfang. **2 1**
Was macht Lisa? Was meinst du?

Wie war das doch gleich? Zuerst die Butter in die Pfanne geben, dann den Fisch in die Pfanne legen ...
„Lisa, die Kartoffeln ...!"
Ach ja, den Topf mit den Kartoffeln muss sie noch auf den Herd stellen. Das hat sie fast vergessen. Vor einer halben Stunde hat Jamie Oliver das Rezept vorgekocht. Da war noch alles klar. Jetzt muss Lisa das Rezept nachkochen, und das ist gar nicht so einfach.

● Butter   ● Pfanne

● Topf   ● Rezept

> ⓘ vorkochen ≈ ein Koch zeigt ein Rezept, z.B. im Fernsehen
>
> nachkochen ≈ die Person kocht das Rezept danach alleine

b Hör noch einmal. Beantworte die Fragen. Was meinst du?

1 Wo sind Lisa und Jamie Oliver?
2 Warum sind sie an diesem Ort?
3 Wer ist Lisa?
4 Wer ist Jamie Oliver?

✪ in einem Restaurant ✪ zu Hause ✪
✪ ihr Freund ✪ Prüfung machen ✪
✪ eine Frau ✪ Mittagessen machen ✪
✪ ein Koch ✿ ✪ ✪ ein Mädchen ✪
✪ Kochkurs machen ✪
✪ Lisas Lehrer ✪ ... ✪

> Lisa ist ein Mädchen.

> Jamie Oliver ist vielleicht ihr Freund.

> Nein, ich denke ...

> ⓘ Prüfung ≈ Test

✿ ● Koch

c Sieh die Fotos an. Ordne die Texte zu.

(A) ?

(B) ?

(C) ?

1 „Jamie's School Dinners" und „Jamie's Kitchen" sind Fernsehdokumentationen. „Jamie's School Dinners" zeigt Jamie Olivers Projekt für gesundes Schulessen. „Jamie's Kitchen" ist eine Dokumentation über ein Projekt mit arbeitslosen Jugendlichen.

2 Jamie Oliver lebt mit seiner Frau und seinen zwei Töchtern in London. Er ist ein berühmter Koch und Fernsehstar.

3 Das „Fifteen" ist ein teures Restaurant in London. Arbeitslose Jugendliche bekommen hier eine neue Chance. Sie bekommen eine Ausbildung und dürfen dann im „Fifteen" arbeiten. „Fifteen"-Restaurants gibt es inzwischen auch in anderen Ländern, vielleicht auch bald in Deutschland.

A2 Die Prüfung

a Welcher Satz passt zu welchem Foto? Ordne zu.

1 Alle Jugendlichen waren arbeitslos.

2 Jetzt besuchen sie ein Koch-College in London und machen wichtige Erfahrungen in der Berufswelt.

A ?   B ?

 ● Erfahrung ≈ was ich lerne, sehe, höre …

b Lies und hör den Text. Warum heißt Jamie Olivers Restaurant „Fifteen"?

In neun Monaten zum Spitzenkoch

1 Wie war das doch gleich? Zuerst die Butter in die Pfanne
2 geben, dann den Fisch in die Pfanne legen … „Lisa, die
3 Kartoffeln …!" Ach ja, den Topf mit den Kartoffeln muss sie
4 noch auf den Herd stellen. Das hat sie fast vergessen.
5 Vor einer halben Stunde hat Jamie Oliver das Rezept
6 vorgekocht. Da war noch alles klar. Jetzt muss Lisa das
7 Rezept nachkochen, und das ist gar nicht so einfach.
8 Eine halbe Stunde später ist sie fertig. Jamie Oliver
9 probiert ihren Fisch: „Das schmeckt nicht schlecht, Lisa.
10 Du hast es geschafft."
11 Lisa ist glücklich. Es hat geklappt. Sie darf jetzt neun
12 Monate lang in einem Koch-College in London eine
13 Ausbildung machen und dann in Jamie Olivers Restaurant
14 „Fifteen" arbeiten. Nur 15 von 300 Jugendlichen haben
15 die Tests geschafft. Alle Jugendlichen waren arbeitslos,
16 die meisten hatten auch Probleme zu Hause und in der
17 Schule. Jamie Olivers Projekt gibt ihnen eine neue Chance.

18 Neun Monate lang müssen die Jugendlichen jeden Tag
19 ins College gehen. Zuerst die Theorie, dann die Praxis:
20 Gemüse putzen, Zwiebeln schneiden, Fleisch braten,
21 Torten backen. Aber das Wichtigste ist: Sie müssen
22 pünktlich sein, gut zuhören und konzentriert arbeiten.
23 Das ist nicht für alle einfach. Einige Jugendliche kommen
24 nicht pünktlich zur Arbeit, manchmal überhaupt nicht.
25 Manchmal ist auch das eigene Temperament ein Problem,
26 doch Streits mit dem Küchenchef sind gar nicht gut für
27 das Arbeitsklima.
28 Am Ende schaffen nur vier Jugendliche die Abschluss-
29 prüfungen am College, aber alle nehmen wichtige
30 Erfahrungen mit: „Ich habe viel gelernt", meint Ben
31 Arthur, „ich kann jetzt in einem Team arbeiten, und ich
32 kann auch Kritik akzeptieren." Und Michelle meint: „Ich
33 weiß jetzt, Pünktlichkeit ist ganz wichtig. Aber pünktlich
34 sein ist immer noch schwer für mich."
35 Auch wenn einige es dieses Mal noch
36 nicht geschafft haben: Sie bekommen
37 noch eine Chance, im nächsten Jahr.

c Lies den Text noch einmal. Richtig oder falsch?

	richtig	falsch
1 Lisa muss ein Rezept von Jamie Oliver kochen.	☒	?
2 Lisa hat den Test geschafft. Jetzt kann sie als Köchin arbeiten.	?	?
3 Lisa arbeitet in einem Restaurant.	?	?
4 Die Jugendlichen in Jamies Projekt hatten keine Arbeit.	?	?
5 Die Jugendlichen finden die Ausbildung am College nicht schwierig.	?	?
6 Nur fünfzig Prozent schaffen die Abschlussprüfungen.	?	?
7 Ben Arthur meint, er kann jetzt gut mit anderen zusammenarbeiten.	?	?
8 Michelle ist immer pünktlich.	?	?

B1 Die Prüfung. Teil 1: „Das Rezept"

" Zuerst die Butter **in die** Pfanne geben.

a Hör gut zu. Kannst du das Rezept nachkochen?
Nummeriere die Arbeitsschritte unten. 🔊 **2** 3

- Kartoffel (-n)
- Fisch (-e)
- Sardelle (-n)
- Wein
- Salz
- in den Topf
- Lauch
- Pfeffer
- frische • Milch
- Zwiebel (-n)

ℹ frisch ≈ nicht alt

↩ **Weißt du's noch?**
S.129 Präpositionen

⟨⟩ Die Kartoffeln und die Sardellen ^wohin? in den Topf geben.

⟨⟩ Salz und Pfeffer ^wohin? in den Fischtopf geben und alles ^wohin? auf den Tisch stellen. Guten Appetit!

⟨⟩ Den Wein, das Wasser und die Milch ^wohin? über die Kartoffeln und das Gemüse geben und alles eine halbe Stunde lang kochen.

⟨⟩ Zwiebel und Lauch ^wohin? in den Topf geben und fünf Minuten anbraten.

1 Das Gemüse klein schneiden. Einen Topf ^wohin? auf den Herd stellen und Öl ^wohin? in den Topf geben.

⟨⟩ Den Fisch vorsichtig ^wohin? auf die Kartoffeln legen und alles noch einmal 15 Minuten kochen.

Wechselpräpositionen mit Akkusativ

wohin? → in den Topf

geben
legen
stellen
...

über
auf
an
in
vor
hinter
neben
zwischen
unter

b Hör zu. Der Chefkoch kontrolliert. 🔊 **2** 4
Welche Fehler findet er? Ordne zu.

1 Julians Topf steht nicht ^wo? ⟨⟩.
2 Davids Kartoffeln sind noch nicht ^wo? ⟨⟩.
3 Marias Sardellen liegen noch hier ^wo? ⟨⟩.
4 Christophs Fisch ist schon ^wo? ⟨⟩.
5 Lisas Fischtopf steht noch nicht ^wo? ⟨⟩.

✪ auf dem Tisch (2x) ✪
✪ im Topf (2x) ✪ auf dem Herd ✪

Wechselpräpositionen mit Dativ

wo? ⚪
auf dem Herd

sein
liegen
stehen
...

über
auf
an
in
vor
hinter
neben
zwischen
unter

B2 Die Prüfung. Teil 2: „Tisch decken"

a Ordne zu. Hör zu und vergleiche. 🔊 **2** 5

1 • Glas (⸚er)	?	5 • Messer	?
2 • Löffel	?	6 • Serviette	?
3 • Teller	?	7 • Salzstreuer	?
4 • Dessertbesteck	?	8 • Gabel	?

b Der Tisch ist falsch gedeckt. 🔊 **2** 6
Hör zu und schreib die fünf Fehler auf.

1 Der Löffel liegt ^wo? ⟨⟩.
Das ist falsch. Der Löffel kommt ^wohin? ⟨⟩.
2 Der Dessertlöffel liegt ^wo? ⟨⟩.
Das ist falsch. Er kommt ^wohin? ⟨⟩.
3 Das Brotmesser liegt ^wo? ⟨⟩.
Das ist falsch. Es kommt ^wohin? ⟨⟩.
4 Das Wasserglas steht ^wo? ⟨⟩.
Das ist falsch. Es kommt ^wohin? ⟨⟩.
5 Da ist kein Salz ^wo? ⟨⟩.

B3   Wie viel kostet das Menü?

a) Lies den Chat. Wie viel kosten die Menüs in den drei Restaurants?

1 „Fifteen": •••••   2 Restaurant „Jägerhof": •••••   3 Mensa: •••••

Karla:	Hallo, hat schon einmal jemand im „Fifteen" in London gegessen?
Freddy:	Ja, es war toll, aber nicht billig. Wir haben für ein Menü 90 Euro bezahlt.
Karla:	Was sind denn das für Preise? Bei uns im Gasthaus „Jägerhof" kostet das Menü nur 9 €.
Jan:	9 €? In der Mensa in unserer Schule esse ich jeden Tag für 5 €.

b) Hör den Dialog und ergänze die Speisen und Getränke. 2 7

Restaurant   Jägerhof

Mittagsmenü 9 €

Vorspeise
Gemüsesuppe *oder*
Salat mit Shrimps *oder*
Spaghetti pomodoro

Hauptspeise
Fisch in Tomatensauce *oder*
Hähnchen mit Zwiebeln *oder*
Gemüsefrikadellen mit Reis

Nachspeise
Apfelkuchen *oder*
Gemischtes Eis

Alexandra: Wir möchten gern bestellen.
Kellner: Bitte sehr.
Alexandra: Ich nehme **1** ••••• und dann **2** •••••.
Kellner: Und was möchten Sie trinken?
Alexandra: **3** •••••, bitte.
Julian: Ich nehme **4** ••••• und dann **5** •••••.
Kellner: Und was möchten Sie trinken?
Julian: **6** •••••.

c) Gruppenarbeit. Bildet Dreiergruppen. Spielt Dialoge wie in b.

B4   SB – Selbstbedienung

a) Hör zu. Was ist wo? Beschreibe. 2 8

selbst ≈ man macht etwas alleine, keine andere Person hilft

SB = Selbstbedienung ≈ man holt sich sein Essen selbst

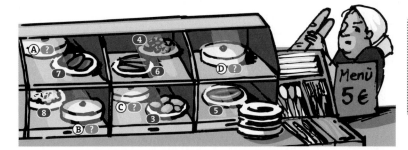

1 • Hähnchen (–)	**6** • Karotte (-n)
2 • Fisch (-e)	**7** • Braten
3 • Kartoffel (-n)	**8** • Nudel (-n)
4 • Gemüse (–)	**9** • Reis
5 • Würstchen (–)	**10** • Suppe (-n)

Die Würstchen sind neben …

b) Partnerarbeit.
   Macht Dialoge wie im Beispiel.

☉ Wohin kommt der Fisch?
◆ Rechts neben das Gemüse.

❂ Würstchen ❂
❂ Nudeln ❂ Gemüse ❂
❂ Fisch ❂ Reis ❂ … ❂

C1 Berufsausbildung

> Sie darf **eine Ausbildung machen** ...

a Sieh die Fotos an. Ordne die Berufe zu.
Hör zu und vergleiche. 🔊 **2** 9

 A ?
 B ?
 C ?

 D ?
 E ?
 F ?
 G ?

1 Automechaniker 2 Tierärztin
3 Krankenschwester (Krankenpfleger)
4 Friseur 5 Fotograf
6 Programmiererin 7 Sekretärin

b Welche anderen Berufe findest du interessant?
Schreib vier Berufe auf. Schlag im Wörterbuch nach
oder frag deine Lehrerin oder deinen Lehrer.

Beamter (Beamtin) = arbeitet meist in einem Amt ...

c Hör zu. Was möchten die Jugendlichen 🔊 **2** 10
werden? Welche Ausbildung brauchen sie?

	Ausbildung	Beruf
1 Michaela	?	.....
2 Markus	?	.....
3 Karin	?	.....

A Hauptschulabschluss (= nach neun Jahren
Schule) und eine Lehre machen

B auf eine spezielle Schule gehen

C Abitur machen (= nach 12 Jahren Schule)
und an der Universität studieren

✪ Friseurin ✪ Fotograf ✪ Tierärztin ✪
✪ Lehrer ✪ Sänger ✪ Ingenieur ✪

C2 Ausbildung

a Welche Ausbildung braucht man in Deutschland für
die Berufe in C1a? Sieh die Grafik an und erkläre.

> Ein Arzt hat Abitur gemacht und dann ...

> Ein Mechatroniker muss ...

Arzt, Ingenieur, Programmierer, Architekt, Lehrer, Tierarzt ...	Mechatroniker (Automechaniker), Friseur, Fotograf, Kellner, Koch ... alle Handwerker (= Tischler ...)
▲ **Universität**	▲ **3 Jahre Lehre**
Abitur 12 Jahre Schule	**Hauptschulabschluss** 9 Jahre Schule

b Lies den Dialog. Ergänze zuerst die Lücken mit den
Phrasen. Hör dann zu und vergleiche. 🔊 **2** 11

⊙ Was möchtest du ⬚⬚⬚ machen?

◆ Ich möchte ⬚⬚⬚.

⊙ Ja? ⬚⬚⬚

◆ Na ja, man muss ⬚⬚⬚ und man muss ⬚⬚⬚.
Die Aufnahmeprüfung für die Schule ist ziemlich
schwierig. Und du? Was möchtest du nach der
Schule machen?

⊙ Ich ⬚⬚⬚, aber ich glaube, ⬚⬚⬚.

✪ Krankenschwester werden ✪
✪ Wie wird man das? ✪ weiß noch nicht ✪
✪ nach der Schule ✪ ich möchte Tierärztin
werden ✪ in eine spezielle Schule gehen ✪
✪ gute Noten in Biologie haben ✪

c Partnerarbeit. Schreibt den Dialog aus **b** weiter.
Verwendet die Phrasen im Kasten.

⊙ Ich weiß noch nicht, aber ich glaube, ich möchte
Tierärztin werden.

◆ Ja? Wie wird man das? ...

✪ Tiere mögen ✪ Abitur machen ✪
✪ an der Universität studieren ✪
✪ gut in Biologie und Chemie sein ✪

d Partnerarbeit. Macht ein Interview.
Was möchte eure Partnerin / euer Partner werden?
(Der Dialog in **b** kann euch helfen.)

D1 Jobs für Jugendliche

a Lies die Anzeigen. Welche Jobs findest du interessant?

Babysitten
3-mal pro Woche am Abend
0176/45982535

Wer hilft mir im Garten?
Walter Bösch
Bergweg 14
Tel. 4011

Unsere Zentrale sucht Telefonisten für die Sommerferien.
Anfragen unter 83477

Nachhilfe in Mathematik (Klasse 9) gesucht!
petra@t-online.de

Schülerjob
Zeitungen und Prospekte austragen
Ortsnachrichten
info@ortsnachrichten.de

b Hattest du schon einmal einen Job? Was hast du gemacht? Wie viel Geld hast du verdient? Warum hast du gearbeitet?

Ich habe schon einmal Nachhilfe in … gegeben.

c Ein Job im Supermarkt. Was muss man tun? Ergänze *den*, *ins* oder *die*.

1 Preise ^{wohin?} auf ⸱⸱⸱⸱ Produkte kleben

2 Schachteln und Dosen ^{wohin?} ⸱⸱⸱⸱ Regal stellen

● Dose (-n)
● Schachtel (–)

3 leere Flaschen ^{wohin?} in ⸱⸱⸱⸱ Flaschenkisten stellen

● Flasche (-n)
● Kiste (-n)

4 leere Schachteln ^{wohin?} ⸱⸱⸱⸱ Lager räumen

5 Plakate ^{wohin?} an ⸱⸱⸱⸱ Wand hängen

6 Abfall ^{wohin?} in ⸱⸱⸱⸱ Mülleimer werfen.

● Abfall
● Mülleimer

D2 Das war die Kleine da. 2 12

a Hör den Dialog und beantworte die Fragen.

1 Wo arbeiten Lukas und Sarah?
2 Warum ist Herr Huber böse?

b Lies die Sätze und ordne die Zitate aus dem Dialog zu. Hör noch einmal und vergleiche.

1	Lukas hat einen Termin.	**G**
2	Sarah denkt, Lukas arbeitet nicht genug.	?
3	Sarah nervt Lukas.	?
4	Herr Huber hat noch Arbeit für Lukas und Sarah.	?
5	Lukas hat die Flaschen kaputt gemacht.	?
6	Lukas lügt.	?
7	Herr Huber hört Sarah nicht zu.	?
8	Lukas hat die Flaschen kaputt gemacht. Das hat Frau Hacker gesehen.	?

A Das war die Kleine. Ich bin fertig Herr Huber, ich muss weg …

B Oh nein, Lukas. Was hast du gemacht?

C Warum machst du dauernd so lange Pausen?

D Das ist meine Sache. Mach du deine Arbeit.

E Sarah, du musst noch die Kalender an die Wand hängen und die Dosen ins Regal räumen, Lukas, stell die Flaschen in die Kisten.

F Da war doch ein junger Mann, der hat doch die Flaschen kaputt gemacht.

G Noch zehn Schachteln einräumen, und ich muss um sechs Uhr bei Max sein. Ich hasse den Job.

H Mach das sauber. Ich habe jetzt keine Zeit, da drüben warten Kunden.

c Diskutiert in der Klasse. Sprecht auch in eurer Muttersprache.

1 Warum sagt Lukas: „Das ist meine Sache."
2 Warum sagt Herr Huber: „Ja, ja, ist schon gut."
3 Wer hat die Flaschen kaputt gemacht?
4 Welche Person reagiert richtig?
5 Welche Person reagiert falsch?

E1 Das nervt!

🔊 **Wenn** ihr fertig **seid**, **könnt** ihr gehen.

a Regeln im Job. Ordnet zu.

> Ihr **seid** fertig. Ihr **könnt** gehen.
>
> **Wenn** ihr fertig **seid**, **könnt** ihr gehen.

1 Wenn du am Morgen unpünktlich bist, **?**
2 Wenn du krank bist, **D**
3 Wenn die Fenster schmutzig ✱ sind, **?**
4 Wenn die Schachteln leer sind, **?**
5 Wenn ein Kunde etwas sucht, **?**
6 Wenn du eine Pause machen willst, **?**

✱ schmutzig

A musst du sie wegräumen.
B musst du sofort anrufen.
C musst du am Abend länger arbeiten.
D darfst du nicht weiterarbeiten.
E musst du sie bald putzen.
F musst du ihm helfen.

sauber

b Wer denkt was? Schreib Sätze und ordne zu.

🔊 **Wenn** ich das bezahlen **muss**, habe ich den ganzen Monat umsonst gearbeitet.

> **A** Lukas **B** Sarah
> **C** Herr Huber **D** Frau Hacker

1 **B** ich – sehe – Wenn – morgen – Lukas,
|| kein Wort – spreche – mit ihm – ich.
Wenn ich Lukas morgen sehe, spreche ich kein Wort
mit ihm.

2 **?** Sarah – die Flaschen – Wenn – bezahlen muss,
|| nicht bezahlen – muss – ich – sie.

3 **?** der junge Mann – die Flaschen – bezahlen muss
– Wenn, || ich – nicht mehr – kaufe – ein – bei
Herrn Huber.

4 **?** ich – Wenn – nicht zur Arbeit – gehe – morgen,
|| nicht – mit Sarah – sprechen – muss ich.

5 **?** die Flaschen – kaputt gemacht – hat – Wenn
– Lukas, || er – muss – bezahlen – sie – und
nicht Sarah.

6 **?** ich – bezahlen muss – Wenn – die Flaschen,
|| für Herrn Huber – nie mehr – arbeite – ich.

E2 Es stört mich, wenn …

🔊 Es **stört mich, wenn** wir jeden Tag
so lange arbeiten müssen.

a Hör zu. Was stört Marcel, was stört   2 13
Maria? Schreib Sätze.

Es stört Marcel, wenn … und vor   *Es stört Maria,*
allem mag er es nicht, wenn …   *wenn …*

b Partnerarbeit. Was stört dich? Was stört dich nicht?
Schreib Sätze und vergleiche mit deiner Partnerin /
deinem Partner. Was habt ihr gemeinsam?

> ☹ *Es stört mich, wenn*   ☺ *Es stört mich nicht,*
> *jemand immer zu*   *wenn jemand beim*
> *spät kommt.*   *Essen raucht ✽.*

> ❂ nicht zuhören ❂ schnell Auto fahren ❂
> ❂ immer seine Sachen vergessen ❂
> ❂ Chaos in seiner Wohnung haben ❂ immer zu
> spät kommen ❂ immer schimpfen ✿ ❂
> ❂ schmutzige Kleidung tragen ❂ sehr lange
> telefonieren ❂ seine Haare nicht waschen ❂
> ❂ Lügengeschichten erzählen ❂ alles besser
> wissen ❂ mit vollem Mund sprechen ❂
> ❂ Hausaufgaben nicht machen ❂
> ❂ sehr faul sein ❂ immer in Eile sein ❂
> ❂ immer sehr ängstlich sein ❂ nicht tolerant
> sein ❂ beim Essen rauchen ❂ …

> ℹ faul sein (≈ sehr oft faulenzen) ≠ fleißig sein
> in Eile sein ≈ keine Zeit haben
> tolerant ≈ man akzeptiert andere Ideen und Meinungen

✽ rauchen   ✿ schimpfen

c Berichtet in der Klasse.

Es stört uns, wenn
jemand seine Haare
nicht wäscht.

F1 Passt der Job für mich?

Lies die Anzeigen. Welche Anzeigen passen zu den „Wunschjobs"? Schreib Sätze.

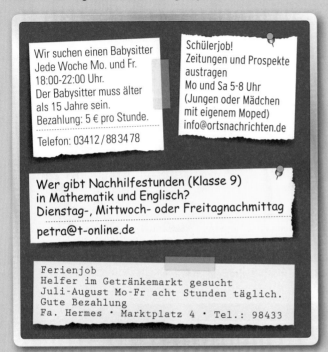

Wir suchen einen Babysitter
Jede Woche Mo. und Fr.
18:00-22:00 Uhr.
Der Babysitter muss älter
als 15 Jahre sein.
Bezahlung: 5 € pro Stunde.

Telefon: 03412 / 88 34 78

Schülerjob!
Zeitungen und Prospekte
austragen
Mo und Sa 5-8 Uhr
(Jungen oder Mädchen
mit eigenem Moped)
info@ortsnachrichten.de

Wer gibt Nachhilfestunden (Klasse 9)
in Mathematik und Englisch?
Dienstag-, Mittwoch- oder Freitagnachmittag

petra@t-online.de

Ferienjob
Helfer im Getränkemarkt gesucht
Juli-August Mo-Fr acht Stunden täglich.
Gute Bezahlung
Fa. Hermes • Marktplatz 4 • Tel.: 98433

Emma (16): muss am Montag ihren Bruder um 7:00 Uhr in den Kindergarten bringen, macht im Juli einen Sprachkurs in England
Wunschjob: Zeitungen austragen oder im Getränkemarkt arbeiten

Wenn Emma Zeitungen austrägt, kann sie ihren Bruder nicht in den Kindergarten bringen. Aber sie kann babysitten. ...

Benjamin (14): gut in Mathematik, Brieffreundin in London, hat ein Fahrrad
Wunschjob: Babysitten oder Zeitungen austragen

Wenn Benjamin Babysitten will, muss er ...

Meike (15): hat Montag und Mittwoch am Abend Basketballtraining, hat in Mathematik eine Fünf, hat ein Moped
Wunschjob: Babysitten oder Nachhilfe geben

Leon (16): möchte viel arbeiten und Geld verdienen, möchte jeden Tag arbeiten
Wunschjob: Zeitungen und Prospekte austragen

F2 Gefällt dir dein Beruf?

a Lies Leons Text über seine Cousine Lara. Ordne die Fragen den Textteilen zu.

1 ?

Meine Cousine Lara ist Kellnerin von Beruf. Sie hat eine Lehre gemacht und dann in einigen Restaurants gearbeitet. Im Herbst arbeitet sie auf einem großen Kreuzfahrtschiff.

A Was muss sie in ihrem Beruf tun?
B Was gefällt ihr (nicht) in ihrem Beruf?
C Welche Ausbildung hat sie?

2 ?

Lara arbeitet jeden Tag acht Stunden. Manchmal muss sie schon um 6 Uhr am Morgen beginnen, dann hat sie aber am Abend frei. Manchmal beginnt sie mit der Arbeit am Nachmittag, dann ist sie erst um Mitternacht fertig.

3 ?

Lara lernt als Kellnerin viele Menschen kennen. Deshalb mag sie ihren Beruf. Wenn die Gäste genug Trinkgeld geben, dann verdient sie auch gut. Wenn sie aber viel tragen muss, dann tun ihre Hände weh. Deshalb möchte sie auf dem Kreuzfahrtschiff nur an der Bar arbeiten.

b Macht Interviews mit Freunden oder Familienmitgliedern. Schreibt Texte wie Leon in a.

*Mein Onkel ... ist ... von Beruf. Er ist .... gegangen / hat ... studiert.
Er .... gern / nicht so gern ... Wenn ..., dann gefällt ihm das ...
Es stört ihn, wenn ...*

Rosi Rot und Wolfi

Das Wasserglas kommt rechts neben das Weinglas ...

Stört es dich, wenn ich mit Messer und Gabel esse?

Und die Serviette neben die Gabel. So, wunderbar.

18 (A) Damals durfte man das nicht ...

A1 Die Zeitreise

a Seht die Fotos an. Was haben die Boros gemacht?

Die Boros aus Berlin ...

Familie Boro aus Berlin hat drei Monate in einem Bauernhaus gelebt. Genauso wie die Bauern im Jahr 1902.

(von links nach rechts) Marianne, Akay, Sera, Reya und Ismail

... und ihre Reise ins Jahr 1902.

Das Wetter macht den Boros Sorgen: Sie holen viel Holz für den Winter.

Ismail und Marianne gehen auf den Markt. Dort verkaufen sie ihre Produkte.

Sera melkt Kuh Henny: Familie Boro muss ihre Lebensmittel selbst produzieren.

Reya auf dem Kartoffelfeld: Die Boros pflanzen Kartoffeln und Gemüse.

Akay füttert die Tiere.

b Partnerarbeit. Was war toll, was war nicht so toll? Was war wohl einfach, was war schwierig? Was meint ihr?

> *i* etwas macht Sorgen ≈ etwas macht ein bisschen Angst
> Lebensmittel ≈ Brot, Milch, Eier ...
> romantisch: Ein Liebesfilm ist romantisch.

Die Kleider waren furchtbar.

✪ die Arbeit ✪ die Freizeit ✪ das Essen und Trinken ✪ die Kleider ✪ ... ✪

✪ langweilig ✪ schrecklich ✪ praktisch ✪ unpraktisch ✪ super ✪
✪ interessant ✪ neu ✪ anders ✪ romantisch ✪ lustig ✪ cool ✪ uncool ✪ ... ✪

A2 Deutschland im Jahr 1900

Beantworte die Fragen. Was meinst du?

Das Jahr 1900 in Deutschland:
Ein Arbeiter verdient in Deutschland 800 Mark im Jahr (zum Vergleich: im Jahr 2009 sind das circa 1200 Euro). Du lebst in einem Bauernhaus im Schwarzwald im Jahr 1900. Du kannst sehr gut Bürsten und Besen ✿ binden. Für eine Bürste brauchst du zwei Stunden.

Frage 1: Wie viele Bürsten musst du binden, wenn du auf dem Markt eine Kuh kaufen willst?

Frage 2: Wie lange musst du arbeiten?

Frage 3: Wie lange muss ein Arbeiter im Jahr 1900 in Deutschland für eine Kuh arbeiten? *Lösung: S. 141*

Waren	Menge	Preise im Jahr 1900 (Mark)	heute (Euro)
Butter	500 g	1,00	2,00
Kaffee	1 kg	1,24	9,50
Bürste	1 Stück	0,50	3,00
Kuh	1 Stück	150,00	950,00
Milch	1 Liter	0,18	0,90

✿ ● Bürste ● Besen

A3   Gelebte Geschichte im Fernsehen: „Schwarzwaldhaus 1902"

 2 14

a   Lies und hör den Text. Waren deine Vermutungen in A1 richtig?

Plötzlich waren Streichhölzer wichtig

1 Wie war wohl das Leben auf einem Bauernhof im Jahr 1902?
2 Die Familie Boro aus Deutschland konnte das ausprobieren.
3 Ein deutscher Fernsehsender hat die Berliner Familie auf eine
4 Zeitreise geschickt: Drei Monate lang mussten Ismail Boro,
5 seine Frau Marianne und die drei Kinder Reya, Sera und Akay
6 in einem alten Bauernhaus im Schwarzwald leben, genauso
7 wie die Schwarzwaldbauern im Jahr 1902. Das Haus hatte
8 also keine Elektrizität, kein Telefon und natürlich auch keinen
9 Fernseher. Die Familie hatte Lebensmittel für die ersten
10 Tage, aber dann mussten sie ihr Essen und Trinken selbst
11 produzieren. Sie mussten Kartoffeln und Gemüse pflanzen,
12 die Kuh melken und die Tiere füttern. Außerdem mussten sie
13 Butter machen und Besen und Bürsten binden. Diese Produkte
14 sollten sie auf dem Markt verkaufen und ein bisschen Geld
15 verdienen.

16 Die ersten Tage auf dem Schwarzwaldhof waren noch
17 gemütlich und ruhig, doch die Wochen danach waren fast
18 unerträglich: Die Kartoffelernte war kaputt und man konnte
19 die Kartoffeln nicht essen. Die Kuh war plötzlich krank und
20 man konnte die Milch nicht trinken. Auch das Wetter machte

21 der Familie Sorgen: Zwei Wochen lang konnten sie nicht auf
22 dem Feld arbeiten. Und dann war der Winter da …

23 Nach den drei Monaten auf dem Bauernhof war für die Boros
24 und die sechs Millionen Fernsehzuschauer klar: Bauern im
25 Jahr 1902 mussten jeden Tag um ihr Überleben kämpfen.
26 Doch die Boros haben es geschafft. Sie sind stolz und haben
27 viel gelernt:

28 „Auch wenn man nichts hat, kann man lachen und glücklich
29 sein", meint Marianne Boro, und ihre Tochter Sera stellt
30 fest: „Handy und Fernseher waren in den drei Monaten
31 überhaupt kein Thema, aber Streichhölzer ✿ waren plötzlich
32 total wichtig."

33 Auch Akay Boro hat etwas gelernt: „Jeden Tag duschen ist
34 überhaupt nicht notwendig. Das weiß ich jetzt."

35 Möchte Akay gerne auf einem Bauernhof im Jahr 1902 leben?
36 „Auf einem Bauernhof schon, aber im Jahr 1902? Da bin ich
37 nicht sicher."

> *i*   unerträglich ≈ schrecklich

b   Lies den Text noch einmal. Lies auch die Fragen und mach Notizen.

1 Warum hat eine Berliner Familie drei Monate auf einem Bauernhof im Schwarzwald gelebt?
   Ein Fernsehsender hat eine Fernsehsendung gemacht, man hat sie auf eine Zeitreise geschickt.

✿ ● Streichholz

2 Was waren die Spielregeln für die Familie?
3 Welche Probleme hatte die Familie?
4 Was haben die Boros und die Fernsehzuschauer gelernt?

c   Möchtest du auf einem Bauernhof im Jahr 1900 leben? Warum (nicht)?

B1 Ein Arbeitstag im Schwarzwaldhaus – ein Arbeitstag in Berlin

> 99 Sie mussten **Kartoffeln** und **Gemüse pflanzen**, die **Kuh melken** und die **Tiere füttern**.

a Das Jahr 1900 – das Jahr 2000. Welche Aktivitäten passen zusammen? Ordne zu.

	1900	2000
5 Uhr	aufstehen	
	Feuer machen	**1**
	Grünfutter holen und Tiere füttern	?
	Kühe melken	?
	Frühstück machen	
7 Uhr	frühstücken	
	Holz machen	
	Haus in Ordnung bringen	?
	Kartoffeln für die Schweine kochen	
9 Uhr	Frühstückspause	
	auf den Markt gehen (10 km zu Fuß)	?
	Bürsten und Besen verkaufen	
	oder Wäsche waschen	?

	1900	2000
11 Uhr	Feuer machen und Mittagessen kochen	?
12 Uhr	Mittagessen	
	Geschirr abwaschen	?
	Schweine füttern	
14 Uhr	Feldarbeit und Waldarbeit	
18 Uhr	Tiere füttern	
	Kühe melken	
	Eier holen	?
	im Garten Gemüse pflanzen	
	Butter machen	
20 Uhr	Abendessen	
21 Uhr	Besen und Bürsten machen	?

1 Heizung ❋ und Licht ❋ einschalten

2 fernsehen

3 im Supermarkt Eier, Gemüse und Butter kaufen

4 mit dem Bus zur Arbeit fahren

5 Staub saugen ❋

6 den Geschirrspüler ❋ einräumen

7 die Katze füttern

8 am Herd oder in der Mikrowelle kochen

9 Milch aus dem Kühlschrank nehmen

10 Wäsche in die Waschmaschine stecken

• Lichtschalter

b Hör den Text aus der Fernsehsendung und vergleiche.

🔊 ② 15

Schwarzwaldhaus 1902

„Die Boros sind wieder in Berlin."

c Finde drei Aktivitäten pro Kategorie aus a. Sammle weitere Wörter.

	1900	2000
Geld verdienen	·····	·····
Lebensmittel produzieren	·····	·····
Essen zubereiten	·····	·····
Hausarbeit	*Feuer machen*	·····

d Partnerarbeit. Wähle vier bis sechs Kategorien und zeichne ein Tortendiagramm für deinen Alltag. Wie ist dein Leben? Was meinst du? Was soll anders sein? Vergleicht und erzählt.

Das Leben im Schwarzwaldhaus

Tiere 20 % | Hausarbeit 20 %
Arbeiten für den Markt 10 % | Garten- und Feldarbeit 25 %
schlafen 25 %

❂ Sport
❂ schlafen
❂ Musik hören
❂ Schule
❂ Freunde
❂ Computer
❂ Hausarbeit
❂ Essen und Trinken
❂ fernsehen
❂ lesen
❂ ...

C1 Die Regeln im Schwarzwaldhaus

> " Sie **mussten** Kartoffeln und Gemüse **pflanzen** …

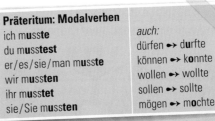

Präteritum: Modalverben
ich muss**te**
du muss**test**
er/es/sie/man muss**te**
wir muss**ten**
ihr muss**tet**
sie/Sie muss**ten**

auch:
dürfen ↔ **du**rfte
können ↔ **ko**nnte
wollen ↔ **wo**llte
sollen ↔ **so**llte
mögen ↔ **mo**chte

a Ergänze die Regeln für die Familie Boro im Schwarzwaldhaus.

Die Fernsehshow „Schwarzwaldhaus 1902" hatte strenge Regeln.

1   *(leben müssen)*   Die Boros <u>mussten</u> drei Wochen lang wie die _____ <u>Bauern</u> im Jahr 1902 <u>leben</u>.

2   *(abgeben müssen)*   Sie ⸺ ihre _____ ⸺ und ihre _____ ⸺ ⸺.

3   *(sein dürfen)*   Im Haus ⸺ keine modernen Geräte ⸺.   ⓘ modern ≈ aktuell

4   *(bleiben dürfen)*   Nur die _____ ⸺ ⸺ im Haus ⸺.

5   *(gehen müssen)*   Sie ⸺ alle Wege zu _____ ⸺ ⸺.

6   *(kaufen dürfen)*   Sie ⸺ im _____ ⸺ keine modernen Produkte ⸺.

7   *(leben müssen)*   Sie ⸺ mit dem _____ ⸺ von 1902, der Mark, ⸺.

8   *(bekommen können)*   Sie ⸺ für ihre Produkte nur die Preise von 1902 ⸺.

b Partnerarbeit. Der Alltag im Schwarzwaldhaus.
Was konnten und durften die Boros nicht? Macht eine Liste.

fernsehen, Radio hören, Kartoffelchips essen …

c Welche Probleme hatten die Boros? Lies den Text in A3a und schreib Sätze.

Die Kartoffelernte … und man konnte …

d In Berlin ist alles anders. Was *können* und *dürfen* die Boros jetzt wieder tun? Erzähle.

> In Berlin dürfen die Boros wieder mit dem Auto fahren.

> Sera kann wieder mit ihren Freundinnen telefonieren.

C2 Realityshows 🔊 ② 16–17

a Hör die Dialoge. Über welche Fernsehsendungen sprechen die Jugendlichen? Ordne zu.

Dialog 1: ? | Dialog 2: ?

B Bist du ein Oragu?
Familie Balluch bei den Oragus: Drei Wochen lang lernt die Familie das Leben im Dorf und im Dschungel kennen. Wir sind mit der Kamera für Sie dabei.

A Das schaffst du!
Es ist soweit! Zehn Kandidaten warten im Dschungelcamp auf ihre Aufgaben. Wer wird am Ende der Dschungelkönig oder die Dschungelkönigin? Sie entscheiden mit!

ⓘ ● Kandidat ≈ Spieler in einer Show

b Hör noch einmal. Was waren die Regeln bei den Fernsehshows? Schreib Sätze.

Das schaffst du!
Die Kandidaten mussten ...
Alexander ...

Bist du ein Oragu?
Familie Balluch musste ...
Sophie ...

- ✪ im Dschungel eine Kiste finden
- ✪ von den Eltern getrennt schlafen
- ✪ Heuschrecken essen
- ✪ bei einem Naturstamm leben
- ✪ für Süßigkeiten und Bonbons ✿ eine Frage richtig beantworten
- ✪ bei den Eltern schlafen
- ✪ scheußliche Sachen essen

Uuuah!! Widerlich!

✿ ● Bonbon

ⓘ etwas schmeckt scheußlich/widerlich ≠ lecker

getrennt ≈ nicht zusammen

c Kennt ihr noch andere Realityshows? Was sind die Regeln? Erzählt.

... ist eine Realityshow. Die Kandidaten müssen ...

d Gruppenarbeit. Hier sind einige Meinungen zu Realityshows im Fernsehen. Markiert und diskutiert.

+++ stimme zu
+ − stimme teilweise zu
 + richtig
 − stimme nicht zu

1 +++ Die Zuschauer und die Spieler können bei Realityshows sehr viel lernen.

2 ⋯⋯ Realityshows sind furchtbar. Die Kandidaten müssen dumme Dinge tun und die Fernsehzuschauer müssen das ansehen.

3 ⋯⋯ Realityshows machen Spaß, sie sind gute Fernsehunterhaltung.

4 ⋯⋯ Realityshows zeigen nicht die Realität, sondern nur Sensationen.

5 ⋯⋯ Die Regeln bei den Realityshows werden immer extremer. In der britischen Realityshow „Shattered" durften die Spieler z.B. tagelang nicht schlafen. Shows wie „Shattered" muss man verbieten.

6 ⋯⋯ In Realityshows müssen die Spieler ihre persönlichen Gefühle und ihr Privatleben im Fernsehen zeigen. Das ist peinlich.

7 ⋯⋯ Kandidaten in Realityshows wollen schnell berühmt werden. Kurze Zeit später kennt sie niemand mehr.

ⓘ verbieten ≈ sagen, dass man etwas nicht darf ≠ erlauben

berühmt ≈ viele Menschen kennen diese Person und finden sie toll

Das finde ich auch. Ich stimme zu.
Das ist richtig / teilweise richtig / falsch.
Das stimmt sicher nicht.
Bei Shows wie ... kann man ...
Shows wie ... sind ...
Wenn die Kandidaten ... müssen, dann ...

D1 Früher und heute

Partnerarbeit. Seht die Fotos an. Was war früher anders? Vergleicht.

Schule früher – heute
(Unterricht, Schulfächer, Tests ...)

Städte früher – heute
(einkaufen, Straßen, Verkehr ...)

Familie und Haushalt früher
– heute (Hausarbeit, arbeiten,
kochen, wohnen ...)

> Ich denke, der Unterricht war früher langweiliger als heute.

> Früher konnte man auf den Straßen spielen, da war weniger Verkehr.

✪ mehr ✪ weniger ✪ einfacher ✪ gefährlicher ✪
✪ langsamer ✪ schneller ✪ gesünder ✪
✪ größer ✪ ruhiger ✪ langweiliger ✪ besser ✪
✪ billiger ✪ bequemer ✪ ... ✪

ℹ Verkehr = Autos, Busse, Fahrräder ...

D2 Das hatten wir alles nicht! 🔊 2 18

a Hör zu. Über welche Themen sprechen Sarah und ihr Großvater? Kreuze an.

● Großvater   ● Enkelin (● Enkel)

1	❓ Handys	5	❓ Prüfungen
2	❓ Computer	6	❓ Verkehr
3	❓ Hausarbeit	7	❓ Urlaub
4	❓ tanzen	8	❓ Gesundheit

● Tastensperre

b Hör noch einmal. Richtig oder falsch?

	richtig	falsch
1 Sarahs Großvater hat ein Problem mit seinem Handy.	❓	❓
2 Sarah kann ihrem Großvater helfen.	❓	❓
3 Sarahs Großvater hat nur ein Telefon.	❓	❓
4 Sarahs Großvater geht einmal in der Woche ins Kino.	❓	❓
5 Sarah muss in 15 Minuten in der Schule sein.	❓	❓
6 Großvaters Freund Otto hat angerufen.	❓	❓

E1 War es früher besser?

 Ich finde, **dass** alles einfacher **wird**.

Hör noch einmal. Wer sagt was?   **2** 18
Großvater oder Sarah? Schreib Sätze.

1 „Alles wird einfacher."
   Sarah findet, dass alles einfacher wird.

2 „Alles wird komplizierter."
   ⸺ meint, dass ⸺

3 „Früher hatten **wir** keinen Fernseher und
   keinen Computer."
   ⸺ sagt, dass **sie** ⸺

4 „Das Leben war früher viel langweiliger."
   ⸺ glaubt, dass ⸺

5 „**Du** hast zu viele Prüfungen und Tests."
   ⸺ meint, dass **Sarah** ⸺

6 „Der Verkehr war früher kein Problem."
   ⸺ erzählt, dass ⸺

7 „**Wir** hatten früher mehr Freiheiten."
   ⸺ ist sicher, dass **die Jugendlichen** ⸺

E2 Warum funktioniert das nicht?

 Heute kannst du überall telefonieren,
weil es Handys **gibt**.

a Ordne zu und schreib die Antworten.   **2** 19
    Hör zu und vergleiche.

> ⊙ **Warum** hat das Handy nicht funktioniert?
> ◆ **Weil** die Tastensperre eingeschaltet **war**.

1 ⊙ Die Wäsche ist noch schmutzig. Warum hat
   die Waschmaschine nicht funktioniert? **C**

2 ⊙ Warum funktioniert das Spiel nicht? **?**

3 ⊙ Warum funktionieren die Streichhölzer nicht? **?**

A ◆ es – geregnet – Weil – hat. ⸺

B ◆ die CD-ROM – Weil – ist – kaputt. ⸺

C ◆ nicht eingeschaltet – habe – die Maschine –
       Weil – ich. *Weil ich* ⸺

b Partnerarbeit. Ordnet zu und macht
     Dialoge wie in a.

⊙ Warum funktioniert das Handy nicht?
◆ Weil der Akku leer ist.

A • Heizung	**E** • CD-Spieler
B • Auto	**F** • Fernseher
C • Radio	**G** • EC-Karte
D • Licht	**H** • MP3-Player

1 Die Glühbirne ist kaputt. **?**
2 Der Code ist falsch. **?**
3 Im CD-Spieler ist keine CD. **?**
4 Wir haben kein Öl mehr. **?**
5 Die Batterien sind leer. **?**
6 Ich habe die Kopfhörer nicht eingesteckt. **?**
7 Der Motor ist kaputt. **?**
8 Die Antenne ist nicht in Ordnung. **?**

E3 Optimisten und Pessimisten

a Partnerarbeit. Wird das Leben einfacher? Was meint
     ihr? Schreibt Sätze und berichtet in der Klasse.

Optimist	Pessimist
Alles wird einfacher, weil ...	*Alles wird schwieriger, weil ...*
Alles wird besser, weil ...	*Alles wird schlechter, weil ...*

> ✖ mehr Verkehr ✖ mehr Geschäfte ✖
> ✖ Computer ✖ Fernsehen ✖ mehr Geld haben ✖
> ✖ mehr Prüfungen haben ✖ ... ✖

b Warum bist du so pessimistisch, optimistisch,
     traurig ...? Such ein Smiley aus und mach einen
     Satz mit *weil*.

> Ich bin so fröhlich, weil heute die Sonne scheint.

> Ich bin so ..., weil ...

F1 Das Einkaufszentrum

a Hör das Gespräch mit Frau Koch. Sieh die  **2** 20
Stadtpläne 1 und 2 an. Welcher Plan zeigt Hofstätten heute?

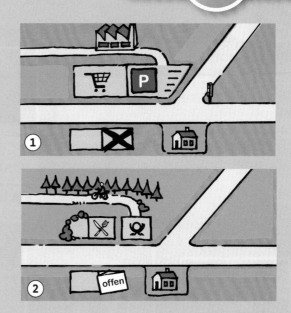

> *i* Rentner/Rentnerin =
> die Person arbeitet nicht mehr

b Hör noch einmal. Was war früher anders in Hofstätten?
Vergleiche die Pläne und schreib Sätze.

In der Felderstraße war früher ein Geschäft.

Jetzt ist das Geschäft geschlossen.

An der Ecke war ...

Neben ...

c Was konnte Frau Koch früher tun? Was kann sie jetzt nicht mehr tun?

Früher konnte sie ...,
weil ...

❂ schnell einkaufen ❂ billig essen ❂ spazieren gehen ❂
❂ Rad fahren ❂ einen Brief aufgeben ❂

F2 Vor sechs Jahren ...

a Lies Vanessas Text in der Schülerzeitung. Möchte sie noch einmal neun sein? Warum (nicht)?

Unsere aktuelle Umfrage: **Möchtest du noch einmal neun sein?**

„Nein, ich denke mein Leben ist jetzt viel besser. Früher musste ich früh ins Bett gehen, ich durfte nicht fernsehen und durfte mit meiner Freundin nicht alleine in die Stadt gehen. Ich hatte vor sechs Jahren auch noch kein Handy, keinen Laptop und keine E-Mail-Adresse. Ich finde, dass die Tests und Prüfungen in der Schule jetzt schwieriger sind. Ich habe mehr Hausaufgaben und muss mehr lernen. Aber ich möchte nicht mehr neun Jahre alt sein."

b Wie war dein Leben früher, wie ist es heute?
Schreib einen Text für die Schülerzeitung.

Ich finde, dass mein Leben jetzt / früher ....

Ich hatte keinen / keine / kein Fahrrad / eigenes
Zimmer / Computer / Bruder ...

Jetzt habe ich ...

Ich musste zu Fuß gehen / ins Bett gehen / zu Hause bleiben / bei ...
bleiben ... / ... essen

Ich durfte ins Schwimmbad gehen / in die Disco gehen / aufbleiben ...

Ich konnte noch nicht Ski fahren / Tennis spielen / ...

Jetzt muss / darf / kann ich ...

Rosi Rot und Wolfi

Mein Vorbild, mein Idol, meine Heldin, mein Held

A1 Gib niemals auf!

a Partnerarbeit. Seht die Fotos an. Zu welchen Stationen im Diagramm passen die Fotos? Was meint ihr?

A Hermanns Traum: Skirennläufer

Kitzbühel

B Begeisterte Fans beim Comeback: 2. Platz in Kitzbühel!

D Hermann Maier gibt nicht auf.

F Auf dem Weg nach Hause: der Unfall

C Die Ärzte operieren sieben Stunden lang. Sie können Hermanns Bein retten.

E Hermann Maiers Weltcupsieg

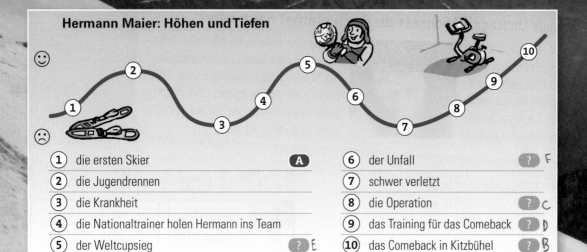

Hermann Maier: Höhen und Tiefen

1 die ersten Skier **A**
2 die Jugendrennen
3 die Krankheit
4 die Nationaltrainer holen Hermann ins Team
5 der Weltcupsieg **?** E

6 der Unfall **?** F
7 schwer verletzt
8 die Operation **?** C
9 das Training für das Comeback **?** D
10 das Comeback in Kitzbühel **?** B

b Der Unfall. Welcher Satz passt zu welchem Bild? Ordne zu.

A **?**

2

B **?**

1

1 Er biegt nach links ab.
2 Es kracht furchtbar.

A2 Hermann Maiers Traum

a Lies und hör den Text. Ordne den Stationen aus dem Diagramm in A1a die passenden Zeilen im Text zu. 🔊 **2** **21**

1 (die ersten Skier) _Zeile 1+2_   **2** (Jugendrennen) ⸱⸱⸱⸱⸱ ...

Das unglaubliche Comeback

1 Mit drei Jahren bekam Hermann Maier
2 seine ersten Skier. Und schon bald war
3 für ihn klar: „Ich will Skirennläufer
4 werden." Seine Eltern schickten ihn
5 auf eine Skihauptschule. Dort trainierte
6 Hermann jeden Tag und konnte bald
7 auch seine ersten Jugendrennen
8 gewinnen. Doch dann wurde er krank.
9 Er musste die Skihauptschule verlassen
10 und einen Beruf lernen. Seinen Traum
11 wollte Hermann aber nicht aufgeben:
12 Er wollte immer noch Skirennläufer
13 werden und wieder Rennen gewinnen.
14 Das war nicht einfach, denn jetzt
15 musste er allein trainieren. Manchmal
16 durfte er bei Weltcuprennen als
17 Testfahrer starten. Bei einem Rennen
18 in Salzburg fuhr Hermann als Testfahrer
19 schneller als die Rennläufer nach ihm.
20 Deshalb holten die Trainer ihn sofort
21 ins österreichische Nationalteam.

22 Dort wurde er schnell zum Star. Er
23 konnte ein Rennen nach dem anderen
24 und schließlich auch den Ski-Weltcup
25 gewinnen. Seine Fans waren begeistert.
26 Kein anderer Skiläufer hatte eine
27 Chance gegen ihn. Wenn man Hermann
28 Maier Ski fahren sah, musste man an
29 Arnold Schwarzenegger im Actionfilm
30 „Terminator" denken. Sportjournalisten
31 sprachen deshalb bald nur noch vom
32 „Herminator".

33 Doch dann kam Hermann Maiers
34 Unglückstag. Er war mit seinem
35 Motorrad auf dem Weg nach Hause.
36 Vor ihm fuhr ein Auto. Es fuhr sehr
37 langsam und Hermann wollte gerade
38 vorbeifahren, da passierte es: „Plötzlich
39 ist das Auto nach links abgebogen",
40 erzählte der Skifahrer später, „es hat
41 furchtbar gekracht. Dann habe ich nichts
42 mehr gesehen und gehört. Ich bin erst
43 im Krankenhaus wieder aufgewacht".

44 Hermann Maier war schwer verletzt.
45 Sein rechtes Bein war mehrmals
46 gebrochen. Die Ärzte operierten sieben
47 Stunden lang und konnten schließlich
48 sein Bein retten. Die Fans hatten große
49 Angst um ihr Idol. Musste Hermann
50 seine Karriere nun doch beenden?

51 Schon wenige Wochen später fuhr
52 Hermann Maier wieder auf seinem
53 Trainingsfahrrad. Er hatte große
54 Schmerzen, aber er wollte nicht auf-
55 geben. Er träumte von einem Comeback:
56 Er wollte wieder Rennen fahren. Doch
57 seine Fans mussten lange auf „ihren
58 Herminator" warten. Erst zwei Jahre
59 nach dem schrecklichen Unfall war
60 es soweit: Hermann Maier konnte bei
61 einem Weltcuprennen in Kitzbühel
62 starten. Er schaffte den zweiten Platz.
63 Die Sensation war perfekt. Von nun an
64 war Hermann Maier für seine Fans ein
65 großer Held.

b Lies den Text noch einmal. Richtig oder falsch?

		richtig	falsch
1	Als Kind durfte Hermann in die Skihauptschule gehen.	☒	?
2	Hermann Maier konnte die Skihauptschule nicht beenden, sondern musste eine Lehre machen.	☒	?
3	Als Testfahrer konnte Hermann Maier ein Weltcuprennen gewinnen.	?	☒
4	Die Nationaltrainer wollten Hermann Maier im Team haben.	☒	?
5	Hermann hatte auf dem Weg nach Hause einen Unfall mit dem Motorrad.	☒	?
6	Er wollte seine Karriere beenden, aber seine Fans waren dagegen.	?	☒
7	Hermann musste nach dem Unfall eine lange Trainingspause machen.	☒	?
8	Zwei Jahre nach dem Unfall konnte Hermann Maier wieder ein Weltcup-Rennen gewinnen.	?	☒

c Warum wollte Hermann Maier seinen Traum nicht aufgeben? Was meinst du?
Was ist für dich positiv daran, was ist vielleicht negativ? Sprich auch in deiner Muttersprache.

Ich denke, er wollte seinen Traum nicht aufgeben / ein Skirennläufer bleiben / Geld verdienen / ein Star bleiben, weil ...
Er wollte zeigen, dass er ...
Ich finde Hermann Maiers Comeback fantastisch / nicht so toll / ...
Er hat nicht aufgegeben. Er hat ...
Er hat nur an seine Karriere gedacht, das finde ich nicht so gut.

B1 Unfälle

99 Es **hat** furchtbar **gekracht**.

→ dann über andere Unfälle

a Ergänze die Mindmap mit den Wörtern aus **A1** und **A2**. Hör zu und wiederhole. 🔊 **2** 22

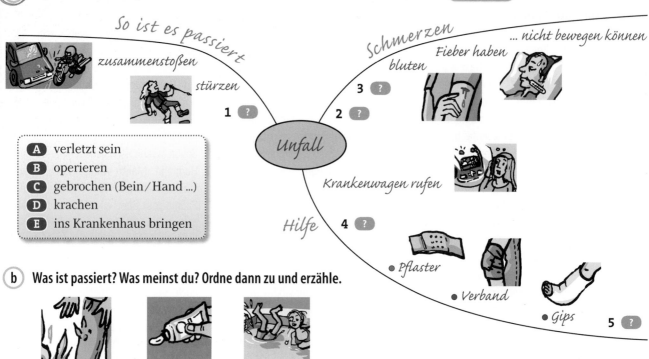

So ist es passiert
zusammenstoßen
stürzen
1 ?

Unfall

Schmerzen
... nicht bewegen können
Fieber haben
bluten
3 ?
2 ?

Krankenwagen rufen

Hilfe 4 ?

• Pflaster
• Verband
• Gips

5 ?

A verletzt sein
B operieren
C gebrochen (Bein / Hand ...)
D krachen
E ins Krankenhaus bringen

b Was ist passiert? Was meinst du? Ordne dann zu und erzähle.

Jemand hat Campingurlaub gemacht. Sie haben ...

❂ kaltes Wasser und Salbe geholt ❂ Würstchen gegrillt ❂
❂ zum Zahnarzt gefahren ❂ mit dem Fuß Zahn ausgeschlagen ❂
❂ Hose gebrannt ❂ Freund (ist) umgefallen ❂

Ⓐ **Im Campingurlaub**	
Feuer gemacht ❄	Grill (ist) umgefallen ❋
.....	.....
hingefallen	.....

Ⓑ **Im Schwimmbad**	
Freund Handstand gemacht	.....
neben ihm gestanden	geblutet
.....	.....

c Hör zu. Was ist wirklich passiert? 🔊 **2** 23

d Partnerarbeit. Denkt an einen Unfall in eurer Familie. Schreibt fünf bis acht Schlüsselwörter auf. Eure Partnerin / Euer Partner schreibt Sätze in der Ich-Form.

mit dem Fahrrad nach Hause gefahren
Hund gesehen
Hund nachgelaufen
Angst gehabt
mit dem Fahrrad gestürzt
Bein gebrochen

Ich bin mit dem Fahrrad nach Hause gefahren. Da habe ich einen Hund gesehen. ...

e Deine Partnerin / Dein Partner liest die Sätze vor. Wenn die Geschichte anders war, korrigierst du.

C1 Seinen Traum wollte er nie aufgeben.

"" Seine Eltern **schickten** ihn auf eine Skihauptschule.

a) Ordne die Ausdrücke aus dem Text in A2a chronologisch.

- ⋯ wurde krank
- ⋯ holten ihn ins Nationalteam
- ⋯ schaffte den 2. Platz
- ⋯ fuhr auf dem Trainingsfahrrad
- 1 bekam Skier
- ⋯ operierten sieben Stunden
- ⋯ konnte den Ski-Weltcup gewinnen
- ⋯ fuhr nach Hause

b) Ordne die Verben aus a und schreib die Infinitive.

Präteritum	
mit -t-	**Besondere Verben**
schicken	fahren – ich **fuhr**
ich schick**te**	werden – ich **wurde**
du schick**test**	sehen – ich **sah**
er, es, sie, man schick**te**	sprechen – ich **sprach**
wir schick**ten**	kommen – ich **kam**
ihr schick**tet**	bekommen – ich **bekam**
sie schick**ten**	

mit -t-	Besondere Verben
holten (holen)	

c) Finde und schreib die Verben im Präteritum im Text in A2a. Schreib auch die Infinitive.

Präteritum mit -t-
schickten (schicken),
konnte (können) ...

Besondere Verben
bekam (bekommen),
war (sein) ...

d) Besondere Verben im Präteritum. Wie heißt wohl der Infinitiv? Ordne zu.

1	aß	C
2	schrieb	?
3	wusste	?
4	fand	?
5	trank	?
6	lief	?
7	nahm	?
8	rief	?

- A schreiben
- B finden
- C essen
- D rufen
- E nehmen
- F wissen
- G trinken
- H laufen

e) Partnerarbeit. Wählt ein besonderes Verb aus Übung b, c oder d. Zeichnet die Präteritum-Form mit dem Finger auf den Tisch. Eure Partnerin / euer Partner nennt die Infinitivform.

C2 Sophie Scholl

a) Sieh das Filmplakat an. Wie heißt der Film?

● Filmplakat

b) Hör den Dialog. Richtig oder falsch? 2 24

richtig falsch

1 „Die weiße Rose" ist ein Liebesfilm. ☐ ☐

2 Sophie Scholl und ihr Bruder waren Studenten in Berlin. ☐ ☐

3 Sophie Scholl und ihr Bruder haben Flugblätter ⚹ gegen die Nazi-Diktatur geschrieben. ☐ ☐

4 Die Nazis haben die „Weiße Rose" sehr schnell gefunden. ☐ ☐

5 Julian konnte nicht den ganzen Film sehen. ☐ ☐

Nazi-Diktatur
Von 1934–1945 war Adolf Hitler Diktator in Deutschland. Seine Partei waren die National-sozialisten (Nazis). Die Gestapo war Hitlers „Geheime Staatspolizei". Alle Menschen in Hitlers Diktatur hatten große Angst vor der Gestapo. In den Gefängnissen und Konzentrationslagern in Deutschland starben ✴ zwischen 1934 und 1945 mehr als sechs Millionen Menschen.

⚹ ● Flugblatt

✴ sterben
(*Präteritum:* starben)

c Lies den Text über die „Weiße Rose" und beantworte die Fragen.

Die „Weiße Rose"

Im Jahr 1942 kam Sophie Scholl nach München. Sie wollte dort Biologie studieren. Auch ihr Bruder Hans war damals Student in München. An der Universität besuchten die Geschwister Scholl auch die Philosophiekurse von Professor Huber, und da wurde ihnen klar, dass man aktiv etwas gegen die Nazi-Diktatur tun musste. Gemeinsam mit drei Freunden schrieben und verteilten sie ihre Flugblätter in ganz Deutschland. Auch Professor Huber war in der Gruppe aktiv. Bald war die Gruppe unter dem Namen „Weiße Rose" in ganz Deutschland bekannt. Natürlich sah bald auch die Gestapo diese Texte. Die Nazi-Polizei suchte fieberhaft nach der „Weißen Rose",

aber sie konnte diese lange Zeit nicht finden. Doch dann kam der 18. Februar 1943. Sophie Scholl und ihr Bruder waren an der Universität und hatten Flugblätter für die Studenten dabei. Da sah sie der Hausmeister und holte die Polizei. Schon wenige Tage später entdeckte die Gestapo auch Sophies Freunde. Die Nazis hatten kein Mitleid. Sophie Scholl, ihr Bruder und vier weitere Gruppenmitglieder mussten sterben. Die „Weiße Rose" war Geschichte. Im Dezember 1943 konnten die Deutschen aber doch noch einen Text der Gruppe lesen. Diesmal kamen die Flugblätter von oben: Englische Flugzeuge „verteilten" das letzte Flugblatt der „Weißen Rose" über Deutschland.

1 Welche Fächer studierten Sophie Scholl und ihr Bruder in München? _Biologie und ..._

2 Was ist am 18. Februar 1943 passiert? ••••

3 Wie viele Gruppenmitglieder mussten sterben? ••••

4 Warum konnte man in Deutschland im Dezember 1943 doch noch ein Flugblatt der „Weißen Rose" lesen? ••••

verteilen

C3 Zwei Idole

a Partnerarbeit. Schreibt drei Fragen zu den Texten in A2a und C2c. Eure Partnerin / Euer Partner beantwortet sie.

Was ist mit Hermann Maier in der Skihauptschule passiert?

Er musste ...

b Was meinst du? Sprich auch in deiner Muttersprache.

1 Ist Hermann Maier ein Held, ein Vorbild, ein Idol? Warum (nicht)?

2 War Sophie Scholl eine Heldin? Ist sie ein Vorbild, ein Idol? Warum (nicht?)

- Held ≈ Ein Held / Eine Heldin hat etwas Tolles getan.
- Vorbild ≈ Ich möchte so sein wie diese Person.
- Idol ≈ Ich finde diese Person toll.

D1 Idole und Vorbilder von heute und gestern

a Kennst du diese Personen? Ordne die Namen zu.

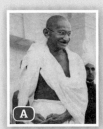

A Mahatma Gandhi

B Franz Beckenbauer

C Marlene Dietrich

D James Dean

E Jesse Owens

?	war ein amerikanischer Schauspieler.
D	Er starb sehr jung bei einem Autounfall.
?	hat 1938 bei den Olympischen Spielen in Berlin zwei Goldmedaillen gewonnen.
E	
?	war ein deutscher Fußballer. Er wurde
B	zweimal mit der deutschen Mannschaft Fußballweltmeister.
?	war ein indischer Politiker und Pazifist.
A	Er kämpfte für die Freiheit Indiens.
?	war eine deutsche Schauspielerin. Sie wurde
C	in den 30er-Jahren der erste deutsche Filmstar in Hollywood.

b Kennst du andere Idole von früher? Können diese Personen auch heute noch Vorbilder und Idole sein? Was meinst du?

> … war ein Idol.

> Ich finde … noch immer toll. Er / Sie hat …

c Was machen Fans? Sammelt Ideen und macht eine Liste.

die gleiche Frisur ✿ wie das Idol haben,
Poster an die Wand hängen,
… sammeln …

✿ ● Frisur

D2 Wer ist dein Vorbild?

a Wer hat welches Vorbild? Hör zu und ordne zu.

 2 25

> **A** Anna
> **B** Klaus
> **C** Laura
> **D** Julias Mutter

1	James Dean	?
2	Heidi Klum	?
3	ein Fußballer	?
4	Ludmilla Schwarz	?

b Wie zeigen die Personen, dass sie Fans sind?

> Anna möchte vielleicht auch Ärztin werden, so wie ihre Großmutter.

c Hör den Dialog noch einmal. Was erzählt Anna über ihre Großmutter? Ergänze den Text.

Annas Großmutter musste für ihre **1** ▦▦ sorgen. Ihr **2** ▦▦ ist nach dem Krieg nicht mehr nach Hause gekommen. Sie war die Älteste in der Familie, und ihre Mutter war damals **3** ▦▦ ▦▦. Dann studierte sie **4** ▦▦. Sie war oft das einzige Mädchen in den Kursen. Annas Großmutter war die **5** ▦▦ ▦▦ in Annas Familie mit einem Universitätsstudium. Annas Großmutter wurde **6** ▦▦ und sie arbeitete sehr viel. Auch wenn sie nach der Arbeit oft **7** ▦▦ war, hatte sie immer **8** ▦▦ für ihre Kinder. Sie war immer **9** ▦▦. Sie starb vor einigen Jahren.

d Partnerarbeit. Macht Dialoge wie im Beispiel mit den Personen aus D1a und b.

🔊 Klaus will aussehen wie **dieser**, wie **dieser** …

⊙ Das ist doch, das ist doch …
◆ Wer ist das?
⊙ Ich habe den Namen vergessen. Das ist doch dieser Fußballspieler, er war zweimal Fußballweltmeister.
◆ Meinst du Beckenbauer?
⊙ Ja genau.

E1 Was Fans so tun ...

🔊 Sie will aussehen wie Heidi Klum, **obwohl** sie nur 1,50 m groß ist.

a Hör zu. Was sind die Wünsche der Fans? Was sind mögliche Probleme? Ordne zu. 🔊 ② 26

Fans		
Luca:	**3**	**A**
Lisa:	**?**	**?**
Felix:	**?**	**?**
Hannah:	**?**	**?**
Katharina:	**?**	**?**

Wünsche
1. einen Film mit Marlene Dietrich sehen
2. ein Spiel in der Allianz-Arena sehen
3. so aussehen wie Robbie Williams
4. Charlie Chaplin treffen
5. Am Wochenende alle Folgen von O.C. California sehen

Probleme
A. blond sein
B. das Fußballspiel sehen wollen
C. sehr weit sein bis München
D. 30 Stunden dauern
E. schon lange tot sein

b Schreib Sätze mit *obwohl*.

Lisa möchte einen Film mit Marlene Dietrich sehen, obwohl alle das Fußballspiel sehen wollen.

Luca möchte so aussehen wie Robbie Williams. **Problem:** Luca ist blond.

Luca möchte so aussehen wie Robbie Williams, **obwohl** er blond **ist**.

E2 Probleme? Mach es trotzdem!

🔊 Sie war oft sehr müde. **Trotzdem** hatte sie immer Zeit für ihre Kinder.

a Annas Vorbild: Was machte Ludmilla Schwarz? Schreib Sätze mit *trotzdem*.

Sie war erst 14 Jahre alt. Sie musste für ihre Geschwister sorgen.
Sie musste die ganze Hausarbeit machen. Sie war auch in der Schule gut.
Nur wenige Mädchen studierten damals Medizin. Sie hat mit dem Studium begonnen.
Das Studium war sehr schwierig. Sie hat es geschafft.
Sie hat viel gearbeitet. Sie hatte immer Zeit für ihre Kinder.
Sie war nach der Arbeit oft müde. Sie war nie böse.

Sie war erst 14 Jahre alt. Trotzdem musste sie für ihre Geschwister sorgen. Sie musste ...

b Schreib die Sätze aus **a** auch mit *obwohl*.

Obwohl Annas Großmutter erst 14 Jahre alt war, musste sie für ihre Geschwister sorgen. Obwohl sie ...

c Partnerarbeit. Schreibt drei Wünsche auf. Tauscht die Zettel. Eure Partnerin / Euer Partner findet möglichst viele Probleme.

Ich möchte Arzt werden. Das Studium dauert lange. Man muss sehr viel arbeiten.
Ich möchte die Pyramiden in Gizeh besichtigen.
Ich möchte ein Konzert mit ... besuchen.

d Macht nun Dialoge.

☉ Ich möchte Arzt werden.
◆ Aber das Studium dauert sehr lange.
☉ Trotzdem möchte ich Arzt werden. Ich habe Zeit.
◆ Aber man muss sehr viel arbeiten.
☉ Ich möchte trotzdem Arzt werden. Ich ...

ⓘ besichtigen ≈ etwas genau ansehen (meistens als Tourist)

eXtra

F1 Ein Lied: „Helden von heute"

a Ergänze den Liedtext. Hör zu und vergleiche. 2 27

Helden von heute

1 Er ⎯ ein großes Cabriolet.
Er ⎯ direkt vor dem Café.
Und meine Freundin Susanne ⎯:
‚Hm-hm! ... Aha! ... Interessant!'

Sie mag die Helden von gestern.
Die brauchen immer viel Benzi-hi-hin.
Ich mag lieber die Helden von heute.
Die kommen auch mit dem Fahrrad hin.

2 Er ⎯ auf seine superteure Uhr.
Er ⎯ und ⎯ das Beste nur.
Und Susanne ⎯ gleich:
‚Hm-hm ... Aha! ... Der ist aber reich!'

Sie mag die Helden von gestern.
Die brauchen immer viel Ge-he-held.
Ich mag lieber die Helden von heute.
Die wissen, dass nur die Liebe zählt.

3 Er ⎯ ⎯, wie ein Fernsehstar.
Er zeigte jedem, wie toll er ⎯.
Und meine Freundin Susanne ⎯:
‚Hm-hm! ... Aha! ... Ich glaub', ich werde schwach!'

Sie mag die Helden von gestern.
Die reden immer nur von si-hi-hich.
Ich mag lieber die Helden von heute.
Die brauchen sowas nämlich nicht.

4 Er ⎯ zu ihr: ‚Ich will ein Leben mit dir!'
Doch er *spielte* nur mit ihr.
Am nächsten Morgen ⎯ sie mich ⎯:
‚Das ⎯ schon wieder nicht der richtige Mann!'

Ja so sind sie, die Helden von gestern:
Sie denken immer nur an si-hi-hich.
Ich mag lieber die Helden von heute.
Helden von gestern interessieren mich nicht!

> **i** nämlich ≈ denn

- ✪ parkte
- ✪ sah
- ✪ trank
- ✪ fuhr
- ✪ aß
- ✪ spielte
- ✪ sprach (2x)
- ✪ fand
- ✪ wusste
- ✪ sah aus
- ✪ rief an
- ✪ war (2x)

b Hör Mariannes Lied noch einmal.
Was ist für Marianne und Susanne wichtig?

Marianne	Susanne
Ich finde ihn ..., weil er mit dem Fahrrad fährt. ...	Er gefällt mir, weil er viel Geld hat. Er ist egoistisch und denkt nur an sich. Trotzdem ...

F2 Wen findest du interessant?

a Lies Bojans Text. Wen möchte er treffen? Warum?

Ich möchte gern Dirk Nowitzki treffen. Dirk Nowitzki ist ein berühmter Basketballspieler. Er wurde 1978 in Würzburg in Deutschland geboren. Mit 19 sahen ihn Scouts von den „Dallas Mavericks" und holten ihn in die USA. Dort wurde er bald zu einem Superstar. Dirk Nowitzki ist ein Vorbild für mich, weil ich auch in einem Basketballteam spiele und weil ich auch einmal im Ausland spielen möchte. Er kann mir sicher Tipps geben.

b Welche Person möchtest du einmal treffen? Wer ist ein Idol, ein Vorbild, eine Heldin / ein Held für dich? Sammle Informationen und schreib einen kurzen Text.

Ich möchte ... treffen. / Mein Idol heißt ... Er / sie war / ist ...
... wurde ... in geboren. Schon früh ...
... ist ein Vorbild / Held für mich, weil ...

Rosi Rot und Wolfi

Obwohl ich so viele Haare habe ...

... liebst du mich?

Ach Wolfi, schon in Lektion 1 wusste ich ...

... dass das nichts wird.

... und obwohl ich ein bisschen anders aussehe, ...

Lasst mich doch erwachsen werden!

A1 Wann ist man erwachsen?

a Hör zu. Was sagen die Personen? 🔊 ② 28
Wann ist man erwachsen? Ergänze die Sätze.

A ?

1 ◆ Wenn man ⸺   **2** ◆ Wenn man ⸺

B ?

b Partnerarbeit. Wann ist man erwachsen? Was meint ihr?
Schreibt noch mehr Sätze und besprecht eure Ergebnisse
in der Klasse.

	stimmt	stimmt teilweise	stimmt nicht
1 Wenn man heiraten darf.	?	?	?
2 Wenn man arbeiten muss.	?	?	?
3 Wenn man in der Zeitung auch die Politikseiten liest.	?	?	?
4 Wenn man keine Zeichentrickfilme mehr anschaut.	?	?	?
5 Wenn man seine Eltern nicht mehr peinlich findet.	?	?	?
6 Wenn man Auto fahren darf.	?	?	?
7 Wenn man eine eigene Wohnung hat.	?	?	?
8 Wenn man 18 Jahre alt ist.	?	?	?
9 Wenn man mit der Schule fertig ist.	?	?	?
10 Wenn man sich rasieren ✽ muss.	?	?	?
11 Wenn man Märchen wieder mag.	?	?	?
12 Wenn man sich schminkt ✾.	?	?	?

...

> Ich denke, Mädchen sind erwachsen, wenn sie sich schminken.

> Nein, ich denke …

✽ sich rasieren   ✾ sich schminken

c In welchen Ländern darf man was wann? Was meinst du? Ergänze die Sätze.

Erwachsen mit 18?
Wenn du 18 Jahre alt bist, darfst du in Deutschland wählen ✿, Auto fahren
und heiraten. Doch das ist nicht überall so.
⸺ müssen Frauen 20 Jahre alt sein, wenn sie heiraten wollen. Männer
dürfen erst mit 22 Jahren heiraten.
⸺ darf man schon mit 16 Jahren Auto fahren.
Wählen darf man ⸺ erst mit 20 Jahren.
Lösung: S. 141

○ in den USA
○ in China
○ in Japan

✿ wählen

d Wie ist das in deinem Land? Wann darfst du was?

> Wenn man … Jahre alt ist, darf man bei uns …

erst mit 22
○○○○ So spät!

schon mit 22
○○○○ So früh!

A2 „Seijin no Hi" und „Naghol"

a Sieh die Fotos an. Ordne die Sätze zu.

1 Jeder Junge muss von einem Turm im Dorf hinunterspringen, erst dann ist er ein Mann.

2 Am Seijin no Hi-Tag tragen die Mädchen einen Kimono.

3 Die Jungen müssen in den Wald gehen und eine Liane schneiden.

4 Das Anziehen und Schminken ist anstrengend und dauert oft mehrere Stunden.

b Lies und hör den Text. Wo feiert man „Seijin no Hi"? Wo feiert man „Naghol"? 🔊 **2** 29

Erst dann bist du erwachsen ...

Wann ist man erwachsen? In vielen Ländern feiert man einfach seinen achtzehnten Geburtstag. Danach ist man erwachsen: Man darf dann zum Beispiel wählen, Auto fahren und heiraten. So einfach ist es aber nicht überall. In manchen Ländern feiert man spezielle Feste, und auf die Jungen und Mädchen warten besondere Aufgaben.

In Japan sind junge Menschen erwachsen, wenn sie 20 Jahre alt sind. Dann feiern sie das Fest „Seijin no Hi" oder den „Tag der Erwachsenen". An diesem Tag sollten die Mädchen ein traditionelles japanisches Kleid, den Kimono, tragen. Doch diese Kleider sind sehr teuer. Sie kosten oft fast so viel wie ein kleines Auto. Darum leihen viele Mädchen diese Kleider für diesen einen Tag aus. Dann beginnt eine schwierige Aufgabe für die Mädchen: das Anziehen und das Schminken. Die

Vorbereitungen für das Fest dauern oft mehrere Stunden und sind sehr anstrengend für die Mädchen.

Pentecoste ist eine kleine Insel im Pazifik. Jedes Jahr gibt es dort im April und Mai ein großes Fest, genannt „Naghol". Die älteren Jungen im Dorf fühlen sich vor dem Fest oft gar nicht gut. Denn Erwachsenwerden kann für junge Männer auf Pentecoste lebensgefährlich sein! Die Erwachsenen lassen die Jungen alleine in den Wald gehen und eine Liane schneiden. Sie sollte sehr dick und stark sein. Dann gehen die Jungen ins Dorf zurück. Dort steht ein 25 Meter hoher Turm aus Bambus. Die Jungen müssen auf den Turm hinaufsteigen und von diesem Turm hinunterspringen. Wenn die Liane reißt oder zu lang ist, stirbt der Junge vielleicht. Bestimmt kennst du diese Mutprobe. Die „Naghol"-Zeremonie ist bei uns als Freizeitsport bekannt und heißt Bungee-Jumping.

darum ≈ deshalb

c Ordne die Satzteile zu und ergänze „die Jungen" und „die Mädchen".

1 Wenn junge Menschen 20 Jahre alt sind, **A**
2 ⸺ tragen an diesem Tag ?
3 Das Anziehen und das Schminken ist für ⸺ ?
4 Die Vorbereitungen für das Fest ?
5 Jedes Jahr feiert man ?
6 Die Zeremonie ?
7 Die Jungen müssen in den Wald gehen ?
8 ⸺ müssen auf einen Turm steigen ?

A feiern sie in Japan das Fest „Seijin no Hi".
B eine schwierige Aufgabe.
C auf Pentecoste die „Naghol"-Zeremonie.
D und eine Liane schneiden.
E und von diesem Turm hinunterspringen.
F sind sehr anstrengend für ⸺.
G ist lebensgefährlich für ⸺.
H eine traditionelle Kleidung.

d Wie findest du das „Seijin no Hi"-Fest und die „Naghol"-Zeremonie? Gibt es in deinem Heimatland ein Fest oder eine Zeremonie, wenn junge Menschen erwachsen werden? Erzähle in der Klasse.

B1 Extremsportarten

> „ Die Jungen müssen auf den Turm **hinaufsteigen** und von diesem Turm **hinunterspringen**.

a) Kennst du diese Sportarten? Ordne die Namen den Definitionen zu.

A House Running
B Rafting
C Objektspringen
D Eisschwimmen
E Freiklettern
F Apnoetauchen

1 [?] Die Sportler springen mit einem Fallschirm von einem Haus oder von einer Brücke hinunter.
2 [?] Die Sportler schwimmen einen Kilometer oder mehr im eiskalten Wasser.
3 [?] Die Sportler laufen eine Hauswand hinunter.
4 [?] Die Sportler klettern ohne Hilfsmittel steile Felswände hinauf. ✿
5 [?] Die Sportler fahren in einem Schlauchboot einen Wildbach hinunter. ✿
6 [?] Die Sportler tauchen ohne Sauerstoffgeräte bis 200 Meter tief hinunter. ✿

tief ≠ flach

b) Partnerarbeit. Weniger extrem? Sammelt noch mehr Sportarten und beantwortet dann die Fragen.

1 Welche Sportarten sind Teamsportarten?
2 Welche Sportarten sind Wassersportarten?
3 Welche Sportarten gibt es bei den Olympischen Winterspielen?
4 Welche Sportarten sind in deinem Heimatland populär?
5 Machst du Sport? Welche Sportarten machst du gern?
6 Welche Sportarten siehst du gern im Fernsehen?
7 Welche Extremsportarten findest du interessant?

Rad fahren   Eishockey   Eislaufen

Laufen   Rudern   ...

c) Finde das Gegenteil.

1   hier ⟷ *dort / dort drüben*
2 drinnen ⟷ ⸱⸱⸱⸱
3   hinauf ⟷ ⸱⸱⸱⸱
4   unten ⟷ ⸱⸱⸱⸱
5   rechts ⟷ ⸱⸱⸱⸱
6   vorne ⟷ ⸱⸱⸱⸱
7   hinein ⟷ ⸱⸱⸱⸱

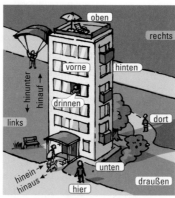

oben / rechts / vorne / hinten / hinunter / hinauf / drinnen / links / dort / hinein / hinaus / unten / draußen / hier

d) Partnerarbeit. Hört kurze Ausschnitte aus Sportreportagen. Ergänzt die Sätze mit den Wörtern aus c. Notiert auch die Sportarten. 🔊 2 30

✿ ● Halle

1 War der Ball *drinnen* oder ⸱⸱⸱⸱? Der Schiedsrichter entscheidet, der Ball war ⸱⸱⸱⸱. Tor!   Sportart: *Fußball*
2 ⸱⸱⸱⸱ läuft noch immer der Läufer aus Nigeria, aber ⸱⸱⸱⸱ kommt die Nummer 3.   Sportart: ⸱⸱⸱⸱
3 ⸱⸱⸱⸱ steht mit der Nummer 10 ein Läufer aus Norwegen. Fast alle Favoriten sind schon ⸱⸱⸱⸱.   Sportart: ⸱⸱⸱⸱
4 Jetzt geht es die letzten Meter zum Tourmalet ⸱⸱⸱⸱. Dann geht es den Berg ⸱⸱⸱⸱.   Sportart: ⸱⸱⸱⸱
5 Das Foul war nicht nötig. Der Spieler muss ⸱⸱⸱⸱. Er darf in diesem Drittel nicht mehr ⸱⸱⸱⸱.   Sportart: ⸱⸱⸱⸱
6 89:90 der Spielstand. Noch 20 Sekunden. Das Publikum *hier* in der Halle ✿ ist begeistert, Trainer und Spieler ⸱⸱⸱⸱ auf der Trainerbank sind natürlich nervös.

i es ist nötig ≈ es muss sein

B2 Base-Jumping

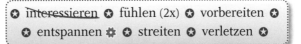

„ Die älteren Jungen im Dorf **fühlen sich** vor dem Fest oft gar nicht gut.

a Lies und hör das Interview. Ergänze die Sätze. 2 31

○ uns ○ dich (2x) ○ mich (4x) ○

interessieren ○ fühlen (2x) ○ vorbereiten ○
○ entspannen ❀ ○ streiten ○ verletzen ○

❀ sich entspannen

■ Andreas, wann hast du mit dem Objektspringen begonnen?

● Vor vier Jahren, da war ich 18 Jahre alt.

■ Warum hast du **1** _dich_ damals für Base-Jumping **2** _interessiert_?

● Ich bin ein paar Mal vorher Fallschirm gesprungen. Das war toll, aber ich wollte mehr.

■ Hast du nie Angst? Wie **3** ⸺ du **4** ⸺ vor einem Sprung?

● Ich **5** ⸺ **6** ⸺ gut. Natürlich bin ich nervös. Aber ich **7** ⸺ **8** ⸺ gut auf jeden Sprung **9** ⸺. **10** ⸺ kann ich **11** ⸺ ja dann danach. Ich habe **12** ⸺ auch noch nie **13** ⸺.

■ Das Springen von Gebäuden und Brücken ist ja meist verboten. Base-Jumper tun es trotzdem. Da gibt es auch Kritik.

● Meine Freunde und ich springen nur dort, wo das auch erlaubt ist. Wir möchten **14** ⸺ nicht mit der Polizei **15** ⸺.

■ Hast du Vorbilder?

● Ja natürlich, Felix Baumgartner aus Österreich. Er ist Weltmeister im Base-Jumping.

■ Er springt aber auch dort, wo es nicht erlaubt ist.

Reflexive Verben

ich fühle **mich** gut
du fühlst **dich** gut
er, es, sie, man fühlt ⚠ **sich** gut
wir fühlen **uns** gut
ihr fühlt **euch** gut
sie, Sie fühlen ⚠ **sich** gut

Name:	Felix Baumgartner
geboren:	1968 in Salzburg
Wohnort:	Salzburg und Los Angeles
Beruf:	Extremsportler (Sky Diving und Base-Jumping)
Hobbys:	Boxen, Motocross, Klettern, Rallye fahren

b Was sagt Andreas? Schreib seine Antworten und berichte.

Wie fühlt er sich vor einem Sprung? — Er sagt, vor dem Sprung fühlt er ... gut. Er bereitet ...
Seine Freunde und er springen nur dort, wo das auch erlaubt ist. Sie möchten ...

B3 Extreme

a Wo siehst du dich? Wo siehst du deine Partnerin / deinen Partner? Trag „ich"- und „du"-Punkte ein.

1	sich ärgern ⚙	-3 ✖ -1 0 1 2 ✖	sich freuen ❀	✖ ich
2	sich konzentrieren	✖ -2 ✖ 0 1 2 3	sich entspannen	✖ Lisa
3	sich bewegen	-3 -2 -1 0 1 2 3	sich ausruhen	
4	sich streiten	-3 -2 -1 0 1 2 3	sich entschuldigen	
5	sich stark fühlen	-3 -2 -1 0 1 2 3	sich schwach fühlen	
6	sich modisch anziehen	-3 -2 -1 0 1 2 3	sich langweilig anziehen	
7	sich duschen	-3 -2 -1 0 1 2 3	sich baden	

⚙ sich ärgern

❀ sich freuen

b Vergleiche deine Tabelle mit deiner Partnerin / deinem Partner. Was habt ihr gemeinsam?

☉ Ich denke, du ärgerst dich oft.

◆ Nein, ganz falsch. Ich ärgere mich fast nie.

C1 Sie lassen mich nicht fahren ...

> „ Die Erwachsenen **lassen** die Jungen alleine in den Wald **gehen** ...

a Hör den Dialog. Was dürfen Martina und Ralf? Was dürfen sie nicht?

🔊 ② 32

Martina darf ...

b Lies jetzt das Gespräch. Schreib Sätze.

Martina: Ich möchte am Wochenende zum Fußballspiel nach Hamburg fahren, aber meine Eltern lassen mich nicht fahren. Sie sagen, Fußball ist nichts für Mädchen, und außerdem bin ich noch zu jung.

Ralf: Das kenne ich. Ich möchte nächste Woche zum Jazzfestival nach Frankfurt ... meine Eltern lassen mich auch nicht fahren.

Martina: Normalerweise lassen mich meine Eltern schon weg, sie lassen mich in die Disco gehen oder zu Partys, aber nach Hamburg lassen sie mich nicht fahren.

Ralf: Da geht es dir besser als mir. Meine Eltern lassen mich gar nichts machen. In der Schule darf ich mehr machen als zu Hause.

Martina darf ... Ihre Eltern ...
Ralf darf ... Seine Eltern ...

Meine Eltern **lassen** mich nicht **fahren**. ≈ Meine Eltern sagen, ich darf nicht fahren.

c Partnerarbeit. Macht Dialoge. Was lassen euch eure Eltern/Lehrer/Freunde/Geschwister machen?

⊗ am Wochenende lange schlafen ⊗ die Haare färben ⊗ lange aufbleiben und fernsehen ⊗ ⊗ mit dem Moped fahren ⊗ rauchen ⊗ ⊗ Alkohol trinken ⊗ zu Partys gehen ⊗ zu einem Sportverein gehen ⊗ Markenkleidung kaufen ⊗ ⊗ (mein) Geld für ... ausgeben ⊗ laut Musik hören ⊗ ⊗ zu Hause eine Party geben ⊗ Auto fahren ⊗ ...

⊙ Lassen dich deine Eltern ...? ◆ Nein, ich darf nicht ...
⊙ Lässt du deinen Bruder ...? ◆ ...

C2 Das habe ich gleich gewusst! Gute (?) Ratschläge

> „ An diesem Tag **sollten** die Mädchen ein traditionelles japanisches Kleid, den Kimono, **tragen**.

a Hör zu. Schreib Tante Olgas Ratschläge auf. Was sind wirklich Maries und Davids Probleme?

🔊 ② 33

⊗ Bett ⊗ Disco ⊗ telefonieren ⊗
⊗ Sport ⊗ lernen ⊗ CDs ⊗

Ratschläge für David:
Du solltest nicht so spät ins Bett gehen.
Du ...

Ratschläge für Marie:
Du solltest ...

Konjunktiv II von sollen	zum Vergleich:
ich soll**te**	soll
du soll**te**st	sollst
er, es, sie, man soll**te**	soll
wir soll**te**n	sollen
ihr soll**te**t	sollt
sie, Sie soll**te**n	sollen

b Gruppenarbeit. Eine Person schreibt ein Problem auf. Die anderen geben Ratschläge und erraten so das Problem.

Du solltest mehr Hausaufgaben machen.

Die Schule ist nicht mein Problem.

⊗ früher ins Bett gehen
⊗ mehr lernen/arbeiten/trainieren
⊗ nicht so viel Geld ausgeben
⊗ mit ... sprechen
⊗ nicht mit ... streiten
⊗ öfter ins/zum/zur ... gehen
⊗ weniger telefonieren/fernsehen/...
⊗ ...

D1 Ich wette, dass ...

a Partnerarbeit. Was habt ihr schon einmal einer Person geliehen, was habt ihr von ihr/ihm ausgeliehen? Schreibt drei Dinge auf. Stellt Fragen und erzählt.

geliehen	ausgeliehen
CDs	T–Shirt

> Wem hast du ... geliehen?
> Hast du ... zurückbekommen?
> Von wem hast du ... ausgeliehen?
> Wie lange ...?
> Warum ...?

> **i** jemandem etwas leihen ≈ einer Person für eine bestimmte Zeit etwas geben
>
> von jemandem etwas ausleihen ≈ von einer Person etwas für eine bestimmte Zeit bekommen

b Hör zu. Ergänze den Dialog.
Was ist die Wette?
Was ist der Wetteinsatz?

⊙ Ich wette mit dir, dass ⸱⸱⸱⸱.

◆ Gut, was ist der Wetteinsatz?

⊙ Wenn ich gewinne, darf ich ⸱⸱⸱⸱.
Wenn ich verliere, darfst du ⸱⸱⸱⸱.

◆ Gut, einverstanden.

> **i** wetten ≈ (z.B. für Geld) eine Meinung gegen eine andere Meinung stellen
>
> ● Verspätung haben ≈ zu spät kommen

c Partnerarbeit. Erfindet Wetten.
Macht Dialoge wie in b.

> Ich wette mit dir, dass ...

- ✪ das Wetter
- ✪ unsere Fußballmannschaft
- ✪ unser Mathematiklehrer
- ✪ ...

D2 Die Mutprobe

a Sieh das Foto an. Was meinst du?

Wo sind Caroline und Sarah? Was ist die Mutprobe?

b Hör den Dialog. Was ist richtig? Kreuze an.

1 Was machen die Mädchen im Schwimmbad?
  a ☐ Sie liegen in der Sonne und hören Musik.
  b ☐ Caroline springt vom 10-Meter-Turm.

2 Was denken Caroline und Sarah über Klaus?
  a ☐ Sie denken, dass Klaus ein Angsthase ist.
  b ☐ Sie denken, dass Klaus vom Sieben-Meter-Turm springt.

3 Was macht Klaus auf dem 10-Meter-Turm?
  a ☐ Er diskutiert mit Lukas und schaut hinunter.
  b ☐ Er geht ganz nach vorne und springt.

4 Was sehen die Mädchen?
  a ☐ Klaus springt von der Sieben-Meter-Plattform.
  b ☐ Klaus klettert die Leiter hinunter und springt nicht.

c Was wetten Caroline und Sarah? Was ist der Wetteinsatz?
Hör noch einmal und schreib Sätze.

Sarah wettet, dass ...

Wenn ... verliert, ...

d Wer lügt? Warum?

⊙ Habt ihr meinen Sprung gesehen?
◆ Nein, wir haben Musik gehört, leider.
☐ Du bist gesprungen?
⊙ Ja, vom 10-Meter-Turm.
◆ Tatsächlich?

> **i** tatsächlich ≈ wirklich

E1 Mutproben

 Da oben steht **jemand**, ist das nicht Klaus?

jemand – **niemand**
= eine Person   = keine Person

wer? (Nominativ) jemand – niemand
wen? (Akkusativ) jemand**(en)** – niemand**(en)**
wem? (Dativ) jemand**em** – niemand**em**

im Wörterbuch: jmd., jmdn., jmdm.,
z.B. jmdm. helfen (= jemandem helfen)

a) Ergänze die Sätze mit *jemand*.

1 wer? <u>Jemand</u> hatte einen tödlichen Unfall.

2 Die Polizei sucht wen? <u>jemanden</u>, sie hat noch wen? <u>niemanden</u> gefunden.

3 Man hat wen? ▭ schwer verletzt ins Krankenhaus gebracht.

4 Die Hunde haben wen? ▭ attackiert.

5 wer? ▭ fuhr mit einem Auto zu wem? ▭.

6 wer? ▭ wechselte auf der Autobahn das Auto.

> ⓘ ein tödlicher Unfall
> ≈ jemand ist bei dem Unfall gestorben

b) Wer ist *jemand*? Ordne die Sätze in a den Zeitungsmeldungen zu. Finde für *jemand* die richtige Person.

1 **A**: jemand = Karl M.   2 **?** : ▭

C **Autobahnpolizei gegen Carsurfer**
Bei 130 km/h wollte Hans S. auf der Autobahn bei Frankfurt das Auto wechseln. Er öffnete die Wagentür und sprang auf den Pickup-Truck neben ihm. Was Hans S. nicht sah: 200 Meter hinter den beiden Wagen fuhr die Autobahnpolizei.

A **Jugendlicher tödlich verunglückt**
In der U-Bahn kam es gestern zu einem tödlichen Unfall. Zwei Jugendliche kletterten an der Haltestelle Rosenbach auf einen Zug der U6 und fuhren auf dem Dach mit. Für Karl M. (17) endete das U-Bahn-Surfen tödlich. Die Polizei sucht den zweiten Jugendlichen.

D **Im Feuerwehrauto ✿ zur Geburtstagsparty**
Mit einem Feuerwehrauto kam Harald L. am Wochenende zur Geburtstagsparty seiner Freundin. Dort konnte er nicht sehr lange bleiben. Eine Stunde später holte ihn die Polizei ab. Harald L. ist 17 Jahre alt und hat keinen Führerschein.

✿ ● Feuerwehrauto

B **Von Rottweilern fast totgebissen**
Drei Jugendliche kletterten um 23 Uhr von einem Baum in den Garten der Villa Goldberg. Drei Rottweiler attackierten die Jugendlichen. Einen Jugendlichen musste man nach der Hundeattacke schwer verletzt ins Krankenhaus bringen. Die Polizei glaubt an eine Mutprobe als Motiv.

E2 Nach der Wette …

🔊 ⊙ Wenn ich verliere, darfst du meinen neuen DVD-Player ausleihen.
◆ Das ist super, **meiner** ist nämlich gerade kaputt.

a) Hör die vier Gespräche und schreib drei Minidialoge. 🔊 ② 36-39

Indefinitpronomen

⊙ Wo ist mein ● MP3-Player?   ◆ Da ist ● **einer** (= ein MP3-Player).

Nominativ: **Akkusativ:**
● ein**er**, *auch:* mein**er**, dein**er** …   ● ein**en**, *auch:* mein**en**, dein**en** …
● ein**es**, *auch:* mein**es**, dein**es** …
● ein**e**, *auch:* mein**e**, dein**e** …   ● wie Nominativ
○ welch**e**, *auch:* mein**e** …

1 ⊙ Hat jemand <u>meinen MP3-Player</u> gesehen?
  ◆ Da liegt <u>einer</u>. Ist das <u>deiner</u>?

2 ⊙ Hat jemand ▭ gesehen?
  ◆ Dort drüben liegt ▭. Ist das ▭?

3 ⊙ Hat jemand ▭

4 ▭

b) Partnerarbeit. Macht Dialoge wie in a. Nehmt auch eure Ideen aus D1a.

> ✪ Rucksack ✪ Schreibblock ✚ ✪
> ✪ Decke ✿ ✪ Handy ✪ DVDs ✪ … ✪

✚ ● Schreibblock   ✿ ● Decke

F1 Transformationen

a Veronika und Daniel transformieren Sätze. Ihre Sätze werden immer länger ... Hör zu und schreib die neuen Sätze.

Das sind die Regeln:

Nimm **ein** Wort oder **zwei** Wörter aus dem Satz.

Setze genau dort **zwei**, **drei** oder **mehr** Wörter in den Satz ein.

Lies den neuen Satz laut vor.

Die Grammatik soll richtig sein und der Satz soll eine Bedeutung haben.

Wie viele Transformationen sind für euch möglich?

Dann stand ~~er~~ oben, schaute hinunter und wollte am liebsten ein Mädchen sein.

Dann stand der Junge aus Pentecoste oben ...

b Partnerarbeit. Transformiert die Sätze. Wer kann die längsten Sätze bilden? Lest die neuen Sätze vor und vergleicht.

1 Jemand sagte ihr dort, dass sie dort drüben einen ausleihen kann.

2 Einer fuhr unten noch vorne mit, aber oben fuhren alle dann hinten.

3 Wenn sie mich heute nicht weggehen lassen, dann rufe ich einfach jemanden an und lade ihn zu mir ein.

4 Gestern hatte sie noch einen, aber Sebastian hat ihn ausgeliehen und nicht hierher mitgebracht.

5 Er sollte morgen eines dorthin mitnehmen.

F2 Die Party

a Lies die Mails. Warum kann Lisa nicht zu Antons Party kommen?

✉ Nachricht

An ... | Lisa — Betreff | Geburtstagsparty

Hallo Lisa, ich habe lange nichts von Dir gehört. Wie geht es Dir? Was gibt es Neues? Ich feiere am Wochenende meinen 15. Geburtstag und mache eine große Party. Ich möchte Dich gern einladen. Kannst Du kommen?
Anton

✉ Nachricht

An ... | Anton — Betreff | AW: Geburtstagsparty

Hallo Anton,
Was gibt es Neues bei mir? Ich habe jemanden kennengelernt. Der Jemand heißt Markus und ist wirklich nett. ;-) Und morgen fahre ich nach Italien. Wir machen dort ein paar Tage Urlaub. Wir fahren an den Gardasee. Auf dem Bild siehst du unser Hotel. Vorne ist der See und rechts hinten ein altes Schloss. Ich freue mich schon so. Wir haben den Urlaub schon lange geplant. Darum kann ich leider nicht zu Deiner Party kommen. Herzliche Grüße, alles Gute zum Geburtstag und viel Spaß am Wochenende!
Lisa

b Anton hat auch dich eingeladen. Du kannst leider auch nicht kommen. Schreib eine E-Mail. Erzähle auch Neuigkeiten und schick ein Foto mit.

Hallo Anton, ich freue mich. Herzlichen Glückwunsch!
Was gibt es Neues bei mir? Ich ...
Auf dem Foto siehst du ...
Ich kann leider nicht ..., weil ...

Rosi Rot und Wolfi

Ausbildung und Beruf in den deutschsprachigen Ländern

LK1 Fakten

a Hör die Informationen und ergänze die Grafik. 🔊 **2** 41

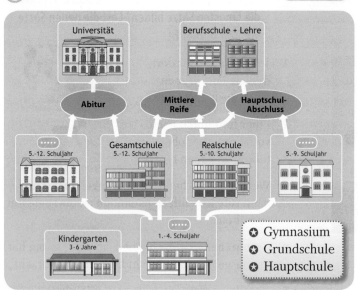

Universität

Berufsschule + Lehre

Abitur

Mittlere Reife

Hauptschul-Abschluss

5.-12. Schuljahr

Gesamtschule
5.-12. Schuljahr

Realschule
5.-10. Schuljahr

5.-9. Schuljahr

Kindergarten
3-6 Jahre

1.-4. Schuljahr

✪ Gymnasium
✪ Grundschule
✪ Hauptschule

b Hör zu. Was ist in Österreich und in der Schweiz anders? 🔊 **2** 42

In Österreich gibt es: •••••
In der Schweiz gibt es: •••••

✪ BHS ✪ Matura ✪
✪ Primarschule ✪ Volksschule ✪

c Partnerarbeit. Vergleicht das Schulsystem in Deutschland mit dem Schulsystem in eurem Land. Was ist ähnlich, was ist anders?

In Deutschland gibt es … Bei uns …
In Deutschland dauert … Bei uns …
länger / kürzer / genauso lang.
In Deutschland kann man …

LK2 Beispiele

a Lies die Texte und ordne die Überschriften den Textteilen zu.

Ⓐ Positive und negative Seiten im Beruf
Ⓑ Berufswünsche
Ⓒ Stress in der Schule
Ⓓ Theorie und Praxis in der Ausbildung
Ⓔ Stundenplan und Schulalltag
Ⓕ Unterricht und Schulfächer in der Berufsschule

Beruf oder Schule?

„Soll ich weiter in die Schule gehen oder einen Beruf lernen?" Das ist für viele Jugendliche in Deutschland, Österreich und der Schweiz eine wichtige Frage, wenn sie 15 Jahre alt sind. Mathias und Julia erzählen von ihrem Alltag als Lehrling und als Schülerin.

Mathias in der Autowerk-statt beim Ölwechseln

Mathias

1 ❓

Ich mache im Moment eine Lehre als Mechatroniker. „Wie repariert man einen kaputten Motor? Was macht man, wenn die Elektronik im Auto nicht funktioniert?" Diese Fragen interessieren mich. In der Berufsschule bekommen wir auch Antworten auf diese Fragen, aber nur in der Theorie. In der Werkstatt muss ich dann ganz andere Sachen machen: Ich muss Öl wechseln, Autos waschen oder die Werkstatt aufräumen. Aber ich bin ja erst im ersten Lehrjahr, vielleicht wird das im zweiten Lehrjahr besser.

2 ❓

Sechs Wochen arbeite ich in der Werkstatt. Da stehe ich immer um sechs Uhr auf, weil ich um sieben bei der Arbeit sein muss. Nach den sechs Wochen gehe ich dann drei Wochen in die Berufsschule. Da kann ich ein bisschen länger schlafen, weil der Unterricht erst um acht Uhr beginnt. In der Berufsschule lernen wir nicht nur etwas über Autos und Motoren. Wir haben auch andere Schulfächer, wie zum Beispiel Deutsch oder Englisch.

3 ❓

Die Ausbildung gefällt mir eigentlich ganz gut, und ich verdiene auch schon etwas Geld. Was mir nicht so gut gefällt? Am Abend nach der Arbeit bin ich meist sehr schmutzig. Das Badezimmer brauche ich dann eine halbe Stunde lang ganz für mich allein.

Am Vormittag hat Julia jeden Tag sechs Stunden Unterricht.

Julia

4 (?)

Ich stehe jeden Tag um 7:00 Uhr auf. Um acht Uhr beginnt die Schule. Ich besuche die fünfte Klasse im Gymnasium. Wir haben jeden Tag bis 13:45 Uhr Unterricht, zweimal in der Woche auch am Nachmittag. Eine Unterrichtsstunde dauert 50 Minuten. Am Mittag gehe ich meist nach Hause, und am Nachmittag mache ich meine Hausaufgaben.

5 (?)

Wir haben 13 Fächer in der Schule. Leider haben wir nur zwei Wahlfächer. In jedem Fach haben wir einen anderen Lehrer und eine andere Lehrerin. Jeder Lehrer denkt, dass sein Fach am wichtigsten ist. Deshalb haben wir auch jede Woche Prüfungen und Tests.

6 (?)

Obwohl das sehr anstrengend ist und obwohl ich oft auch am Wochenende lernen muss, möchte ich lieber in die Schule gehen als einen Beruf lernen. Ich möchte später Tierärztin werden. Da brauche ich das Abitur. Ich muss auch gute Noten haben, weil ich nur mit guten Noten einen Studienplatz bekomme.

b Lies den Text noch einmal. Was ist richtig? Kreuze an.

1 Mathias darf in der Werkstatt (?) Motoren reparieren. (?) nur einfache Sachen machen.

2 Mathias (?) hofft, (?) ist sicher, dass er im zweiten Lehrjahr interessante Sachen in der Werkstatt machen darf.

3 In der Berufsschule hat Mathias (?) nur technische Fächer. (?) auch normale Schulfächer.

4 Julia hat (?) jeden Nachmittag (?) zweimal am Nachmittag Unterricht.

5 Julia möchte (?) mehr (?) weniger Wahlfächer haben.

6 Julia braucht gute Noten, weil (?) sie später studieren möchte. (?) sie einen Beruf lernen möchte.

c Vergleiche Mathias' und Julias Situation. Was ist besser? Was meinst du? Diskutiert in der Klasse.

Mathias verdient schon Geld, das finde ich gut.

LK3 **Und jetzt du!**

a Vergleiche Julias Schulalltag mit deinem Alltag. Beantworte die Fragen.

Ich stehe früher als Julia auf. Ich habe auch ...

1 Wann gehst du morgens in die Schule?

2 Wann beginnt der Unterricht?

3 Wie lange dauern die Unterrichtsstunden?

4 Hast du am Nachmittag Unterricht?

5 Wo isst du zu Mittag?

6 Wann und wie lange machst du Hausaufgaben oder lernst du für die Schule?

b Macht eine Freundin / ein Freund oder ein Bekannter von dir eine Berufsausbildung? Vergleiche ihre / seine Situation mit Mathias' Situation. Beantworte die Fragen.

1 Welche Berufsausbildung macht sie / er?

2 Welche Arbeiten muss sie / er in ihrer / seiner Firma machen?

3 Wie lange muss sie / er jeden Tag arbeiten?

4 Besucht sie / er auch eine Schule oder Ausbildungskurse?

5 Verdient sie / er schon Geld?

6 Was gefällt ihr / ihm an der Ausbildung?

c Schreib einen Text zu a oder b. Deine Antworten in a und b können dir helfen.

Mein Freund José macht eine Lehre als Koch. Er arbeitet bei / in ... Er muss jeden Tag ...

Eine Posterpräsentation:
Das Leben heute und vor 50 Jahren

P1 Sammelt Informationen.

a Gruppenarbeit. Was ist heute in eurem Heimatland anders als vor 50 Jahren?
Welche Themen interessieren euch besonders? Wählt ein Thema aus:

Das Leben in der Stadt (einkaufen, Straßen, Gebäude, Verkehr, Verkehrsmittel ...)

Schule (Schulfächer, Stundenpläne, Prüfungen, Lehrer, Methoden ...)

Familienleben und der Alltag zu Hause

Freizeitaktivitäten (Urlaub, Sport, Kino, Theater, Fernsehen, Radio, Partys ...)

Berufsleben (Ausbildung, Jobs, Einkommen, Chefs ...)

Essen und Trinken (Restaurants, Bars und Kaffeehäuser ...)

b Sammelt 20 Fragen zu eurem Thema. Was möchtet ihr wissen?
Hier sind Beispiele für Fragen zum Thema „Freizeitaktivitäten":

Freizeitaktivitäten:

1 Wie viel Freizeit hatten die Menschen vor 50 Jahren?

2 Wie oft und wie lange machte man Urlaub?

3 Wohin fuhren die Menschen in Urlaub?

4 Welche Sportarten konnten die Menschen vor 50 Jahren in eurem Land machen?

5 Welche Sportveranstaltungen (z.B. Fußballspiele, Radrennen etc.) besuchten die Menschen damals?

6 Welche Personen waren populäre Sportler?

7 Wann und wie oft konnten die Menschen ins Kino gehen? Wie teuer war eine Kinokarte?

8 Welche Filme waren damals populär?

9 Wie oft konnten die Menschen ins Theater gehen?

10 Wer hatte vor 50 Jahren in eurer Stadt schon einen Fernsehapparat?

11 Welche Sendungen waren populär?

12 Wie wichtig war das Radio?

13 Welche Idole hatten die Menschen vor 50 Jahren?

14 Welche Musik hörte man?

15 Wo konnte man tanzen gehen?

...

c Sprecht in eurer Muttersprache mit älteren Personen an eurem Wohnort, z.B. mit euren Großeltern.
Nehmt die Antworten auf oder macht Notizen.

d Sammelt mehr Informationen über das Leben in eurem Land vor 50 Jahren. Sucht Informationen im Internet oder in Bibliotheken. Sammelt Fotos von euren Eltern und Großeltern. Sucht populäre Musik aus dieser Zeit.

P2 Bereitet die Präsentation vor.

a Gruppenarbeit. Ordnet eure Informationen. Macht Überschriften und schreibt kurze Texte wie im Beispiel.

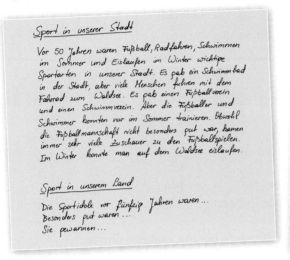

b Klebt eure Texte und die Fotos auf Plakatpapier.

c Wenn ihr noch Zeit habt, schreibt ein Interview (auf Deutsch) mit euren Großeltern oder einer älteren Person und nehmt das Interview auf. Die Interviews aus P1c helfen euch dabei.

○ Hattet ihr vor 50 Jahren schon einen Fernseher?
□ Nein, Wir haben unseren Fernseher erst 1972 gekauft. Aber im Gasthof war einer, da habe ich manchmal ferngesehen.
○ Hat es damals schon Farbfernsehen gegeben?
□ Nein, die Sendungen waren alle in Schwarz-Weiß.
○ Welche Sendungen habt ihr gesehen?
□ Ich habe im Gasthaus meistens Fußballspiele gesehen. Populär war aber auch der Krimi jede Woche.

P3 Präsentiert euer Poster.

a Übt die Präsentation. Jeder in der Gruppe soll etwas sagen.
Lest eure Texte vor und vergleicht dann die Informationen mit der Situation heute.

1 Wer spricht die Einleitung?

> Unser Thema ist „Freizeitaktivitäten".
> Was haben die Menschen vor 50 Jahren in unserem Land in ihrer Freizeit gemacht?
> Das präsentieren wir euch jetzt.

2 Wer präsentiert welches Thema?

> Vor 50 Jahren waren Fußball, Rad fahren und Schwimmen im Sommer und Eislaufen im Winter wichtige Sportarten in unserer Stadt.

> Heute joggen auch viele Menschen in unserer Stadt. Das war damals nicht so wichtig.

b Präsentiert eure Arbeit und spielt die Lieder oder das Interview vor.

> Wir hatten ein Schwimmbad in der Stadt, aber ...

Grammatik

Finde die Satzzitate  in den Lektionen 17 – 20.

G1 Verb

a lassen + Infinitiv

⊙ Ach Bello, **lass** mich **schlafen**.

	lassen	
ich	lasse	
du	lässt	
er, es, sie, man	lässt	+ Infinitiv
wir	lassen	
...		

→ S.78

*Meine Eltern **lassen** mich gar nichts **machen**.*

b Reflexive Verben

sich gut **fühlen**
ich fühle **mich** gut
du fühlst **dich** gut
er, es, sie, man fühlt ⚠ **sich** gut
wir fühlen **uns** gut
ihr fühlt **euch** gut
sie, Sie fühlen ⚠ **sich** gut

Ebenso: sich ärgern, sich freuen, sich konzentrieren, sich entspannen, sich bewegen, sich ausruhen, sich streiten, sich anziehen, sich duschen, sich baden, sich interessieren, sich vorbereiten, sich verletzen ...

*Ich ärgere **mich** fast nie.*

→ S.77

c Konjunktiv II: Ratschläge geben

⊙ Du **solltest** besser nicht **springen**, Markus.

ich	sollte
du	solltest
er, es, sie, man	sollte
wir	sollten
ihr	solltet
sie, Sie	sollten

*Du **solltest** nicht so spät ins Bett **gehen**.*

→ S.78

d Präteritum von Modalverben

ich	**mus**ste
du	**mus**stest
er, es, sie, man	**mus**ste
wir	**mus**sten
ihr	**mus**stet
sie, Sie	**mus**sten

→ S.61

ich, er, es, sie, man	-te
du	-test
ihr	-tet
wir, sie, Sie	-ten
⚠ kein Umlaut!	

Ebenso: können – **konn**te, dürfen – **durf**te, wollen – **woll**te, sollen – **soll**te, mögen – ⚠ **mochte**

*In der Show **mussten** die Kandidaten Heuschrecken essen.*

*Früher **konnte** man auf den Straßen spielen.*

e Präteritum mit -t-

Infinitiv	**Präteritum**	
schicken	ich schick**te**	(Konjugation wie Präteritum von Modalverben)

Besondere Verben:	
sein	ich **war**
haben	ich **hat**te
fahren	ich **fuhr**
werde	ich **wurde**
sehen	ich **sah**
sprechen	ich **sprach**
kommen	ich **kam**
bekommen	ich **bekam**
...	

*Seine Eltern **schickten** ihn auf eine Skihauptschule.*

*Doch dann **wurde** er krank.*

ich, er, es, sie, man: – (keine Endung)

→ S.69

G2 Nomen und Pronomen, Präpositionen

a Wechselpräpositionen

Wechselpräpositionen mit Akkusativ

wohin? ⟶ in den Topf

geben
legen
stellen
...

über · auf · an · in · vor · hinter · neben · zwischen · unter

Wechselpräpositionen mit Dativ

wo? ▣ auf dem Herd

sein
liegen
stehen
...

über · auf · an · in · vor · hinter · neben · zwischen · unter

wohin? ⟶ → Wechselpräposition + Akkusativ
wo? ▣ → Wechselpräposition + Dativ

> *Zwiebel und Lauch **in den Topf geben** und fünf Minuten anbraten.*

→ S.52

b Allgemeine Pronomen

jemand = eine Person
niemand = keine Person

wer? (Nominativ) jemand – niemand
wen? (Akkusativ) jemand**en** – niemand**en**
wem? (Dativ) jemand**em** – niemand**em**

im Wörterbuch: **jmd.**, **jmdn.**, **jmdm.**,
z.B. jmdm. helfen (= jemandem helfen)

> *Da oben steht **jemand**, ist das nicht Klaus?*

> *Die Polizei sucht **jemanden**.*

→ S.80

c Indefinitpronomen

⊙ Wo ist mein ● T-Shirt?

◆ Da liegt ● **eines**.
   Ist das **deines**?

- ein Pullover · ein**er** · auch: mein**er**, dein**er** ... ⚠
- ein T-Shirt · ein**es** · auch: mein**es**, dein**es** ... ⚠
- eine Jacke · ein**e** · auch: mein**e**, dein**e** ...
- Pullover · **welche** · auch: mein**e**, dein**e** ...
  T-Shirts
  Jacken

> *Da liegt **einer**. Ist das **deiner**?*

- im Singular wie indefiniter Artikel, aber bei ● und ● mit den Endungen: ein**er**, ein**es**
- im Plural: **welche**

→ S.80

G3 Satz

Nebensatz mit *wenn*, *weil* und *obwohl*

> ***Wenn** ich das bezahlen **muss**, habe ich den ganzen Monat umsonst gearbeitet.*

Wenn du krank **bist**, darfst du nicht weiterarbeiten.

Großvaters Handy funktioniert nicht, **weil** die Tastensperre eingeschaltet **ist**.

Obwohl sie viel gearbeitet **hat**, hatte sie immer Zeit für ihre Familie.

→ S.56, 64, 72

Wunderbar und seltsam

Das sind die Themen in Modul 6:

Ordne die Themen zu.

1 Filmberufe (Stuntman Synchronsprecher ...)

2 *Der Film war so romantisch. Ich mag Liebesfilme.*

3 Das Spiegelbild: Eine Geschichte über Mia, Lena, Tim und Niklas

4 Sieben Intelligenzen

5 Wunderkinder

6 Tipps für das Vokabellernen

Du lernst ...

Sprechen

- über Filme sprechen
- über Wünsche sprechen, Wünsche ausdrücken
- über verschiedene Intelligenzen sprechen
- über Lernstrategien sprechen
- über Erfindungen, Entdecker und Entdeckungen sprechen
- über die Vor- und Nachteile des Computers diskutieren
- erzählen, was andere gesagt oder gefragt haben
- die Entwicklung von Beziehungen beschreiben

Schreiben

- einen Filmtipp im Internetforum geben
- eine Geschichte zum Thema „Vergessen" schreiben
- einen Tagebucheintrag schreiben
- einen Steckbrief für die Schülerzeitung schreiben

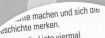

soll man die Liste viermal
abschreiben.

4 **Wenn man Wörter wiederholt,**

A soll man sie lesen und laut
sprechen.

B soll man die Wörter auf Deutsch
lesen und sie in die Muttersprache
übersetzen.

C soll man die Wörter in der
Muttersprache lesen und sie ins
Deutsche übersetzen.

J ?

6 Wi...
bis s...

A dre...
B einm...
C jeder...

7 Die bes...

A ku...
B
C

7 Bionik: Wissenschaftler
kopieren die Natur

8 Wer hat das erfunden?

9 Spart der Computer Zeit?

10 Brad Pitt als Achilles: Gab es Troja wirklich?

11 Entdecker und ihre Entdeckungen

12 James Bond in Deutschland, Österreich und
der Schweiz

📖 Lesetexte

- Interview mit einem Synchronsprecher
- Filmkritiken
- Wunderkinder
- Ein Test: „Neue Wörter lernen"
- Bionik
- Eine Umfrage: „Spart der Computer Zeit?"
- Evolution in Natur und Technik
- Heinrich Schliemann entdeckt Troja
- „Atlantis" und „El Dorado": Märchen oder Wirklichkeit?
- Stonehenge und die Nazca-Wüste: originelle Erklärungen

🔊 Hörtexte

- Gespräch über einen Kinobesuch
- Intelligenzen im Alltag
- Ein Interview mit einer Lernpsychologin
- Ein Lied: „Alles vergessen!"
- Tratsch: Ein Gespräch über einen Freund
- Eine vierteilige Hörgeschichte: Das
Spiegelbild (Der Film, Das Wiedersehen,
Der Tratsch, Die Werkstatt)

A1 Filmberufe

a Wer macht was? Ordne zu.

Wie ein Filmstar leben, berühmt sein, viel Geld verdienen, in einem wunderschönen Haus wohnen: Das wünschen sich viele Menschen. Schauspieler oder Schauspielerin ist für sie ein Traumberuf.

Aber kaum jemand sieht die Menschen hinter der Kamera. Auch ihre Arbeit ist für einen Film wichtig und kann sehr interessant und spannend sein. Es gibt mehr als vierzig Filmberufe. Einige findest du hier:

1 Ein Kameramann C [?]
2 Ein Regisseur D [?]
3 Eine Drehbuchautorin G [?]
4 Eine Maskenbildnerin A [?]
5 Ein Stuntman B [?]
6 Eine Sounddesignerin H [?]
7 Ein Beleuchter F [?]
8 Ein Synchronsprecher E [?]

A schminkt die Schauspielerinnen und Schauspieler.
B spielt gefährliche Szenen in einem Film.
C steht hinter der Kamera und macht die Filmaufnahmen.
D erklärt den Schauspielern ihre Rollen.
E spricht im Studio für einen Film Texte in einer anderen Sprache.
F macht das richtige Licht bei den Dreharbeiten.
G schreibt die Texte für die Schauspieler.
H mischt die Musik und den Ton für den Film.

- Aufnahme ≈ Bilder mit einer Kamera machen
- Dreharbeiten ≈ die Arbeiten, wenn man einen Film dreht (*hier:* drehen = machen)
- Rolle ≈ ein Schauspieler spielt einen Charakter/eine Figur

b Welche Berufe aus **a** passen zu den Fotos?

Ich denke, auf Foto A sieht man …

c Partnerarbeit. Wer arbeitet wo und wann? Was meint ihr?

Der Kameramann arbeitet vor und nach den Dreharbeiten. Er muss …

- bei den Dreharbeiten - vor den Dreharbeiten -
- nach den Dreharbeiten - im Studio - am Set - … -

A2 Eins ..., zwei ..., drei ...

a) Lies zuerst die Interviewfragen A - F.
Lies dann das Interview mit Markus aus
„Kino & Film"und setze die Fragen A-F
an der richtigen Stelle ein.

A Welche Rollen sind besonders schwierig für dich?
B Wie bist du Synchronsprecher geworden?
C Welchen Schauspieler möchtest du gern sprechen?
D Bekommt ihr eure Texte nicht vor der Aufnahme?
E Was machst du lieber: Zeichentrickfilme oder reale Filme?
F Was gefällt dir in deinem Beruf?

Am Abend ist die Stimme weg

K&F Du bist Synchronsprecher, Markus. **1** **B**

Markus Mein Vater hatte ein Puppentheater. Ich habe schon sehr früh mitgespielt. Mit acht Jahren habe ich in einem Synchronstudio zugeschaut. Ein Junge konnte nicht zu seinem Termin kommen, da habe ich ausgeholfen.

K&F **2** **?**

Markus Der Job ist nie langweilig. Ich spreche Rollen in Spielfilmen, Werbespots, Fernsehserien, in Dokumentationen und in Zeichentrickfilmen. Jeden Tag eine andere Rolle, jeden Tag eine neue Aufgabe. Das finde ich toll. Manchmal ist das natürlich auch anstrengend. Du bist von 8 bis 18 Uhr im Studio und musst oft ohne Vorbereitung vier oder fünf verschiedene Rollen sprechen.

K&F Ohne Vorbereitung? **3** **?**

Markus Wenn man eine längere Rolle in einem Spielfilm sprechen muss, dann bekommt man seinen Text manchmal schon vorher. Aber bei kleineren Rollen oder Fernsehserien kommst du ins Studio, der Regisseur erklärt dir die Situation und die Rolle, und du musst dich sofort in die Figur hineindenken und deinen Text sprechen.

K&F **4** **?**

Markus Japanische Zeichentrickfilme. Die sind sehr schwierig. Da muss man 180 % geben. Die Figuren schreien ❈ oft pausenlos. Da hat man abends dann oft keine Stimme mehr.

❈ schreien

K&F **5** **?**

Markus Beides ist interessant, aber Zeichentrickfiguren spreche ich doch lieber. Da kann man oft verrückte Dinge probieren. Einmal musste ich eine Raupe ✿ sprechen, die kleine Raupe wurde dann ein schöner Schmetterling ... Den Schmetterling muss man dann natürlich mit einer anderen Stimme sprechen. Das war witzig. Bei Spielfilmen muss man sich in die Situation gut einfühlen.

✿ ● Schmetterling
● Raupe

K&F Manche Synchronsprecher sprechen die Synchron-stimme von berühmten Schauspielern, z.B. von Brad Pitt oder Halle Berry. **6** **?**

Markus Am liebsten eine berühmte Zeichentrickfigur, wie z. B. Homer Simpson.

> *i* pausenlos = ohne Pause
> witzig ≈ man muss lachen

---

b) Hör nun das Interview und vergleiche. 🔊 3 1

c) Lies und hör das Interview noch einmal. Beantworte die Fragen und schreib *weil*-Sätze.

1 Warum ist Markus Synchronsprecher geworden? *Weil er als Kind schon gern Figuren gesprochen hat. ...*
2 Warum mag Markus seinen Beruf? ⁃⁃⁃⁃
3 Warum ist der Job manchmal anstrengend? ⁃⁃⁃⁃
4 Warum sind japanische Zeichentrickfilme für Synchronsprecher besonders schwierig? ⁃⁃⁃⁃
5 Warum synchronisiert Markus lieber Zeichentrickfilme als Spielfilme? ⁃⁃⁃⁃

d) Sprecht in der Klasse.

1 Findest du den Beruf Synchronsprecher interessant? Warum (nicht)?
2 Siehst du gern Filme in Originalsprache? Warum (nicht)?
3 Welche anderen Filmberufe findest du interessant? Warum?

Ich finde den Beruf interessant, weil ...

B1 Filme

> Ich spreche Rollen in **Spielfilmen**, **Werbespots**, **Fernsehserien**, in **Dokumentationen** und in **Zeichentrickfilmen**.

a Partnerarbeit. Hört die Dialoge 1-8 🔊 ③ 2 aus verschiedenen Filmen. Ordnet die Szenen zu.

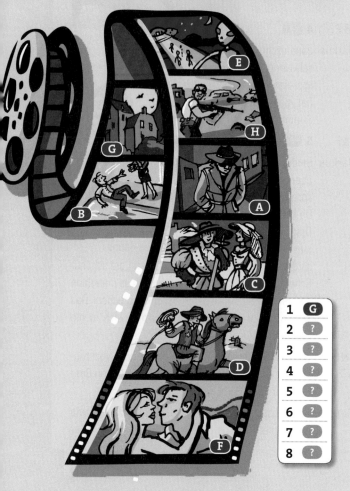

1	**G**
2	?
3	?
4	?
5	?
6	?
7	?
8	?

b Ordne die Filmkategorien den Szenen in a zu. Hör zu und vergleiche. 🔊 ③ 3

1	Horrorfilm
2	Western
3	Komödie
4	Liebesfilm
5	Science-Fiction
6	Actionfilm
7	Thriller
8	Kostümfilm

A	=	**7**
B	=	?
C	=	?
D	=	?
E	=	?
F	=	?
G	=	?
H	=	?

B2 Neu im Kino

a Lies die Filmkritiken. (Du musst nicht jedes Wort verstehen.) Zu welcher Kategorie aus B1b gehören die Filme?

A ④ Nie wieder Berlin

Max und Sabrina arbeiten für eine Computerfirma in Berlin. Sie mögen sich nicht besonders. Doch dann schickt ihr Chef sie gemeinsam auf eine Geschäftreise nach Rom, und alles wird anders ...
Ein wunderbarer, romantischer Film mit Peter Konrad und Carla Morelli in den Hauptrollen.

Film des Monats – unbedingt sehen!	★★★★★

B ? Das Land im Westen

Die Carter-Bande terrorisiert Watson City. Der Sheriff ist hilflos, die Farmer sind verzweifelt. Ein Fremder kommt in die Stadt. Die Farmer dürfen wieder hoffen ...

Für alle Western-Fans ein Muss!	★★★

C ? Die Mannschaft

Das Fußballteam an Tims Schule ist am Ende. Die Mannschaft verliert Spiel um Spiel. Tim und seine Freunde planen einen Neuanfang: mit neuen Methoden, originellen Ideen und einem neuen Trainer ...

Spaß und Unterhaltung für die ganze Familie.	★★★

D ? Scheller mal zwei

Thomas Scheller trifft Thomas Scheller. Obwohl die Wissenschaft auch das Klonen von Menschen möglich gemacht hat, gibt es strenge Verbote dafür. Doch Thomas Scheller ist sicher: Er steht vor seinem Spiegelbild, er steht vor seinem Klon.

Gute Idee, doch viele Längen.	★★

E ? Die Großstadt-Bullen

Action pur in diesem aufregenden Film mit Bruno Köhl in der Rolle von Inspektor Uwe Kalle. Wieder ein spannender Film von Kultregisseur Werner König. Tolle Stunts.

Wenn du Action magst, ist das dein Film!	★★★★

F ? Die Nachricht

Deutschland um 1628 im dreißigjährigen Krieg. Auch Anke Walters Söhne sollen in den Krieg. Doch Jörg Walter hat andere Pläne.

Wunderbare Filmmusik und fantastische Landschafts-aufnahmen, etwas unrealistische Handlung.	★★

★	★★	★★★	★★★★	★★★★★
zu Hause bleiben	okay	gut	sehr gut	unbedingt sehen

b Welchen Film möchtest du am liebsten sehen? Warum?

> „Die Großstadt-Bullen". Ich mag Actionfilme.

(c) **Gute Filme – schlechte Filme.** Niko und Pia haben zwei Filme aus **a** gesehen. Niko findet seinen Film schlecht, Pia findet ihren Film gut. Was meinst du, wer sagt was?

Niko 😞: **1**, **?**   Pia 🙂: **2**, **?**

1 Ich bin fast eingeschlafen.
2 Der Film war langweilig.
3 Die Handlung war originell.
4 Der Film war hervorragend.
5 Einige Szenen waren peinlich.
6 Der Film war spannend.
7 Die Schauspieler waren schwach.

8 Ich war begeistert.
9 Der Film war echt komisch. Und auch der Schluss war seltsam.
10 Das Ende war ein bisschen sentimental, aber so romantisch.
11 Die Handlung war kompliziert und unlogisch.
12 Die Schauspieler waren prima.

(d) **Hör zu und vergleiche deine Antworten in c.** 🔊 **3** 4
Welche Filme haben Niko und Pia tatsächlich gesehen?

> ● Handlung ≈ was in einem Film passiert
> ● Schluss ≈ das Ende
> hervorragend ≈ sehr gut
> sentimental ≈ mit viel Gefühl

B3   Lieblingsfilme

(a) **Sammle passende Wörter aus B1 und B2 und zeichne eine Mindmap.**

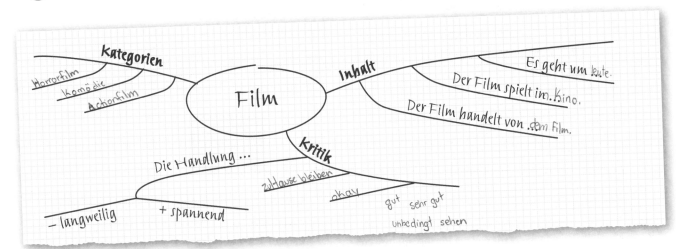

(b) **Partnerarbeit. Fragt und antwortet. Erzählt dann von einem Film.**

1 Gehst du gern ins Kino oder siehst du lieber DVDs und Videos?

2 Wie oft gehst du ins Kino?

3 Welche Filme magst du?

4 Was ist dein Lieblingsfilm?

5 Wer ist dein Lieblingsschauspieler / deine Lieblingsschauspielerin / dein Lieblingsregisseur / deine Lieblingsregisseurin?

6 Hast du schon einmal einen berühmten Schauspieler oder eine berühmte Schauspielerin getroffen?

> Letzte Woche habe ich … gesehen.
> Der Film handelt von …
> Es geht um …
> Die Handlung / Die Schauspieler …

C1 Das musst du sehen!

> „ Jeden Tag **eine** ander**e** Rolle, jeden Tag **eine** neu**e** Aufgabe.

a Welche Beschreibung passt zu welchem Film in B2a?

1 **Ein** lustig**er** ● **Film** für die ganze Familie
  Die Mannschaft
2 **Ein** Film für **den** typisch**en** **Western-Fan** ●●●●
3 **Ein** romantisch**es** ● **Liebesmärchen** ●●●●
4 **Ein** aufregend**er** ● **Action-Film** mit
  einem unglaublich**en** **Ende** ●●●●
5 **Der** ideal**e** Film für alle Science-Fiction-Fans ●●●●
6 **Eine** spannend**e** **Geschichte** aus
  dem dreißigjährig**en** **Krieg** ●●●●

Adjektivendungen Singular: -e, -en, -er, -es

1 **der, das, die, eine** rote
2 **den, dem, der** (Dativ ●), **einer, einen, einem** roten
3 ⚠ **ein** rot**er** + ● Nomen
  ein rot**es** + ● Nomen

---

b Ergänze die Adjektivendungen.
Kennst du diese Filme?
Welche Filmkategorie
ist das wohl?

> „Die lange Nacht am Rio Grande" ist ein ...

1 Die lang●●● Nacht am Rio Grande
2 Ein wunderbar●●● Sommer
3 Der groß●●● Blonde mit dem schwarz●●● Schuh
4 Alien – Das unheimlich●●● Wesen aus einer
  fremd●●● Welt   *Lösung: S. 141*

c Welcher Film in B2a passt für welche Person am besten?

Miriam: „Ich mag gut**e** Geschichten, am liebsten sehe
ich historisch**e** Filme. Ich mag **keine** dumm**en**
Komödien." *Die Nachricht*

Serkan: „Ich mag lustig**e** Komödien, aber
keine romantisch**en** Liebesgeschichten." ●●●●

Silvia: „Filme von gut**en** Regisseuren sehe ich
gerne. Spannend**e** Action-Filme mag ich am
liebsten." ●●●●

Adjektivendungen Plural: -en, -e

1 mit Artikelwort: **die, keine, den, keinen** ... dumm**en** Komödien
2 ohne Artikelwort (im Dativ): von gut**en** Regisseuren
3 ohne Artikelwort (im Nominativ und Akkusativ): gut**e** Geschichten

---

d Was siehst du gern?
Schreib Sätze und erzähl in der Klasse.

⊗ intelligent ⊗ spannend ⊗ interessant ⊗
⊗ gut ⊗ aufregend ⊗ sentimental ⊗ ...

⊗ Thriller ⊗ Komödien ⊗ Science-Fiction-Filme ⊗
⊗ Western ⊗ Action-Filme ⊗ Liebesfilme ⊗

---

*Ich sehe gern spannende Thriller, aber
ich mag keine langweiligen Western.*

> Ich sehe gern ...

C2 Ich sehe ...

a Lies die Texte und ergänze die Adjektivendungen.

Ich sehe	Es gibt
eine grün●●● Tafel ✿, braun●●● Tische, rot●● Stühle, bunt●●● Schulrucksäcke, und eine freundlich●●● Lehrerin, in meinem Klassenzimmer.	ein rot●●● Auto, eine elegant●●● Dame mit einem klein●●● Hund, einen dick●●● Bankdirektor und einen clever●●● Inspektor, in meinem Lieblingskrimi.

✿ ● Tafel

b Schreibt Texte wie in a. Schreibt zuerst das Ende für
euren Text. Sammelt dann Nomen und Adjektive zu
diesem Ende, zum Beispiel aus dem Lernwortschatz
im Arbeitsbuch.

Ich sehe ...   *Es gibt ...*
  ... wenn ich das Wort ... höre.
  ... in meinem Lieblingsfilm.
  ... in meinem Klassenzimmer.
  ... wenn ich .... sitze / bin / stehe.
  ... wenn ich an ... denke.
  ...

c Lest die Texte vor und hängt sie
im Klassenzimmer auf.

D1 Das Spiegelbild, Teil 1: Der Film

Mia

Lena

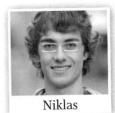
Niklas

Tim

a Partnerarbeit. Seht die Fotos unten an. Welche zwei Beschreibungen passen zu den Fotos? Was meint ihr?

Teil 1

A ?

B ?

❶ Niklas erklärt Mia die Mathematikhausaufgabe.
❷ Mia erzählt Lena von einem Film.
❸ Lena sucht ein Kleidergeschäft.
❹ Tim fragt Mia nach dem Weg.

b Seht die Zeichnungen an. Was für einen Film hat Mia gesehen? (Western, Horrorfilm ...) Was ist der Inhalt? Was meint ihr? Erzählt.

● Atelier
● Künstler
● Freak
junge ● Frau
sich verlieben
arm
● Garage
reich

In Mias Film geht es um ...

ⓘ ● Freak ≈ verrückter Typ

c Hör nun das Gespräch und vergleiche. 🔊 ❸ 5

d Hör noch einmal. Wer sagt was? Ergänze die Namen.

1 *Lena*: Cool! Den Film würde ich gern mal sehen.
2 ▭: So ein verrücktes Genie würde ich auch gern mal treffen.
3 ▭: Nicht böse sein.
4 ▭: Hey, was ist los, Mann? ... Bist du immer so nett?
5 ▭: Das geht dich gar nichts an.
6 ▭: Sonderbare Typen, Künstler, Freaks ... das ist nichts für mich.
7 ▭: Es geht um eine junge Frau und ihren reichen Mann.
8 ▭: Wir suchen ein Elektronikgeschäft.
9 ▭: Tim ... so ein schöner Name!
10 ▭: Ein Elektronikgeschäft? Warum denn das?

e Ordne die Sätze aus d den Fotos in a zu.

Foto A: ▭
Foto B: ▭

f Wie findest du Lena, Mia, Niklas und Tim? Schreib die Namen in das Diagramm.

freundlich					Tim	unfreundlich
ruhig						aggressiv
romantisch						realistisch

Ich finde Tim ziemlich unfreundlich und auch aggressiv. Er sagt ...

E1 **Wünsche** 🔊 Ich **hätte** jetzt lieber eine heiße Schokolade.

a Was denken Mia und Lena, was wünschen sie sich? Ordne zu.

1 So ein Künstlerzimmer ist sicher romantisch.

2 Den Film würde ich gern mal sehen.

3 Den Film finde ich interessant.

4 Ich hätte jetzt lieber eine heiße Schokolade.

5 Es ist heute ziemlich kalt.

6 Ich wäre so gern mal in einem richtigen Künstleratelier.

Lena: ····· Mia: ·····

b Welche Wünsche haben die Personen wohl? Schreib Sätze.

- neue Schuhe haben - mehr Zeit haben -
- am Sportplatz sein - älter sein -
- einen Taschenrechner ✳ haben -
- einen Platz ganz vorne haben -

✳ ● Taschenrechner

Konjunktiv II (Wünsche)

haben: Ich **hätte** gern ...
sein: Ich **wäre** gern ...
sehen und andere Verben: Ich **würde** gern ... **sehen**.

	haben	sein	sehen	
ich	hätte	wäre	würde ...	sehen
du	hättest	**wärest**	würdest ...	sehen
er, es, sie, man	hätte	wäre	würde ...	sehen
wir	hätten	wären	würden ...	sehen
ihr	hättet	wäret	würdet ...	sehen
sie, Sie	hätten	wären	würden ...	sehen

1 In unserer Straße gibt es ein neues Schuhgeschäft.

Ich hätte gern neue Schuhe.

2 Warum darf man mit 16 noch nicht Auto fahren? Das finde ich blöd. ·····

3 Die Zeit ist vorbei, ich bin mit dem Test aber noch nicht fertig. ·····

4 Das kann ich nicht im Kopf rechnen, das ist zu kompliziert. ·····

5 Ach schade, alle Plätze in der ersten Reihe ✳ sind besetzt. ·····

✳ ● Reihe

6 Warum bin ich nicht zum Spiel mitgefahren? ·····

c Partnerarbeit. Schreibt fünf Vermutungen über eure Partnerin / euren Partner auf. Macht Interviews und berichtet in der Klasse.

Ich denke, du würdest gern ...
Ich denke, du würdest nicht so gern ...
Ich denke, du hättest / wärst gern ...

- Popstar / Sportler / Sängerin ... kennenlernen -
- kochen / surfen / Schach spielen ... lernen -
- Ärztin / Lehrer ... werden - zu Hause / am Meer / in den Bergen ... Urlaub machen - ein eigenes Zimmer / neue Schuhe / längere Ferien / mehr Deutschstunden ... haben -
- in Berlin / im Bett / in der Disco / im Café ... sein - ... -

d Gruppenarbeit. Schreibt die Namen von fünf Freunden oder Familienmitgliedern auf. Schreibt für jede Person einen Wunsch. Lest eure Sätze in der Gruppe vor und erzählt von den Personen.

Yannick (mein Cousin): Yannick würde gern in einer Band Schlagzeug spielen. Caroline (meine Schwester): ...

Mein Cousin Yannick spielt ein bisschen Schlagzeug. Er würde gerne in einer Band spielen, aber er ist noch nicht gut genug.

F1 Schon gesehen? – Die Filmseite in eurem Magazin

a Partnerarbeit. Lies Michaels Filmkritik zu „Lola rennt" im Schulmagazin.
Deine Partnerin / Dein Partner liest Sophies Filmkritik zu „Die Welle" auf Seite 140.

Filmhits in der Schul-Videothek

1 **Habt ihr „Lola rennt" schon gesehen? Nein? Dann auf**
2 **zur Videothek! Der Film ist ein echter Hit!**
3 In „Lola rennt" geht es um zwei junge Berliner, Lola und
4 Manni. Der Film erzählt Lolas Geschichte aber nicht einmal,
5 sondern dreimal, jedes Mal mit einem anderen Schluss.
6 Lolas Freund Manni hat Probleme. Er braucht dringend Geld,
7 viel Geld, sonst ist sein Leben in Gefahr. Deshalb überfallen
8 Manni und Lola einen Supermarkt. Doch vor dem Supermarkt
9 wartet schon die Polizei auf sie. Lola stirbt.
10 Jetzt beginnt der Film noch einmal von vorne. Ein kleines
11 Detail in der Geschichte ist diesmal anders, die Handlung
12 ändert sich: Lola überfällt ganz allein eine Bank und bringt
13 Manni das Geld. Als dieser über die Straße gehen will,
14 kommt ein Auto. Manni stirbt.

15 Ein drittes Mal beginnt der
16 Film von vorne. Diesmal
17 sieht man Lola in einem
18 Spielcasino. Sie wettet auf
19 die Nummer 20 und gewinnt
20 zweimal. Wieder rennt sie
21 los, denn ihr Freund wartet
22 auf das Geld ...

Lola rennt.

23 „Lola rennt" spielt in Berlin, der Regisseur heißt Tom Tykwer,
24 die Hauptrollen spielen Franka Potente und Moritz Bleibtreu.
25 Der Film ist extrem spannend. Ich mag die schnellen kurzen
26 Szenen und ich mag auch die Filmmusik. Würdest du den Film
27 gern sehen? Dann beeil dich. Es gibt nur eine Kopie in der
28 Videothek, und ich leihe den Film sicher auch noch einmal
29 aus.

> *i* dringend ≈ etwas muss sofort passieren
> beeil dich ≈ mach schnell

b Macht Interviews, fragt und antwortet.

Fragen zu „Die Welle"
1 Wo spielt der Film „Die Welle"?
2 Was können Rainer Wengers Schüler nicht verstehen?
3 Wie ändert Rainer Wenger seinen Unterricht?
4 Welche Probleme gibt es bald danach?
5 Welche Frage ist für Sophie nach dem Film wichtig?
6 Was findet sie nicht so gut?

F2 Filmtipps im Forum

Gib einen Filmtipp im Internetforum. Beschreibe auch Details.

Carlo ☆☆☆ Hallo, das Wetter am Wochenende sieht gar nicht gut aus ☹. Bin auf dem Weg in die Videothek! Hat jemand Filmtipps für mich?

> *i* gar nicht gut ≈ überhaupt nicht gut

Hallo Carlo,
... ist ein toller Film. Die Hauptrollen spielen ... Der Regisseur ist ...
In dem Film geht es um ... / Der Film handelt von ... / Der Film
erzählt die Geschichte von ...
Mir hat ... gefallen. Ich finde die Handlung / die Schauspieler ...
... ist ein wunderbarer / fantastischer / interessanter ... Film
Du solltest ... unbedingt sehen.

Rosi Rot und Wolfi

A1 Du hast nicht nur eine Intelligenz!

a Lies den Text über Howard Gardner. Warum bedeutet „intelligent sein" heute etwas anderes als früher?

Wann ist jemand intelligent? Wenn er/sie gut rechnen und schreiben kann? Ja, vielleicht. Doch der amerikanische Psychologe Howard Gardner meint, dass im 21. Jahrhundert das Wort „intelligent" mehr bedeuten muss:
Wenn die Welt kleiner und unser Leben schneller wird,
wenn wir öfter verreisen und in anderen Ländern leben und arbeiten,
wenn wir uns in dieser schnellen, globalen Welt wohlfühlen wollen,
dann brauchen wir mehr als nur die sprachliche und die mathematische Intelligenz. Howard Gardner meint, dass es nicht eine Intelligenz, sondern mehrere Intelligenzen gibt, er nennt mindestens sieben.

Howard Gardner

b Für welchen Beruf ist welche Intelligenz besonders wichtig?
Was meinst du? Ordne die Berufe den Intelligenzen zu.

> *i* mindestens sieben = sieben oder mehr

sprachliche
Intelligenz

körperliche
Intelligenz

> Ich denke, ein Schriftsteller braucht auf jeden Fall sprachliche Intelligenz.

mathematische
Intelligenz

personale Intelligenz(en)

Bankkauffrau

Schriftsteller

Architektin

räumliche
Intelligenz

musikalische
Intelligenz

Artist

Politikerin

Musiker

c Was bedeuten die Wörter? Was meinst du?

> *i* auf ihrem Gebiet ≈ in ihrem Fach
> sich etwas merken ≈ etwas nicht vergessen

1 Inselbegabte ☐ sind Genies auf ihrem Gebiet.
☐ wohnen auf einer Insel.

2 Ein Beweis ☐ zeigt, dass etwas richtig ist.
☐ ist eine Meinung.

3 Ein Autist ☐ kann sich viele Dinge merken, kann aber schlecht kommunizieren.
☐ liebt schnelle Autos.

A2   Sind das Genies?

a Lies und hör den Text. Sind deine Vermutungen in A1c richtig? In welchen Intelligenzen 🔊 ❸ 6
sind Nadia, Matt und Christopher sehr stark? In welchen Intelligenzen sind sie nicht so gut?

Wunderkinder

1 Wir alle können lesen, singen und
2 zeichnen. Doch einige Menschen
3 können das alles viel besser als wir.
4 Nadia war schon als Kind eine kleine
5 Künstlerin. Mit drei Jahren konnte
6 sie so gut Tiere zeichnen wie ein
7 erwachsener Künstler. Doch beim
8 Spielen mit anderen Kindern hatte
9 Nadia Probleme. Sie konnte nämlich
10 nicht mit Kindern in ihrem Alter
11 kommunizieren.
12 Matt Savage lernte mit
13 sechs Jahren über Nacht
14 Klavier spielen. „Genial,
15 einfach fantastisch",
16 meinte die Jazzlegende
17 Chick Corea, als er dem
18 siebenjährigen Matt
19 beim Klavierspielen zu-
20 hörte. Matt ist Autist.

Matt Savage

21 Christopher kann vierzehn Sprachen
22 sprechen, schon als Kind liebte er
23 Sprachrätsel und Sprachspiele und
24 merkte sich in kürzester Zeit schwierige

25 Wörter aus anderen Sprachen. Doch im
26 Alter von 20 Jahren zeichnete er noch
27 wie ein Sechsjähriger.
28 Nadia, Matt und Christopher sind
29 sogenannte Inselbegabte. Sie sind
30 Genies auf ihrem Gebiet. Bei normalen
31 Intelligenztests erreichen sie aber oft
32 nur sehr wenige Punkte.
33 Sind Inselbegabte deshalb weniger
34 intelligent? Der amerikanische Psycho-
35 loge Howard Gardner sagt: „Nein,
36 natürlich sind diese Menschen sehr
37 intelligent. Sie sind Genies. Aber nur
38 in ‚ihrer' Intelligenz." Für
39 Howard Gardner sind
40 Inselbegabte ein Beweis
41 für seine Theorie: Es gibt
42 nämlich nicht nur eine
43 Intelligenz, sondern viele
44 verschiedene Intelligen-
45 zen. Matt hat große
46 musikalische Intelligenz,
47 Christopher sprachliche
48 Intelligenz und Nadia hat ein
49 wunderbares Gefühl für den Raum und
50 für Formen: Ihre räumliche Intelligenz
51 ist sehr hoch.

52 Howard Gardner findet viele weitere
53 Beispiele für seine Theorie: Die großen
54 Mathematiker Aristoteles, Euklid,
55 Pascal und Leibniz waren Menschen
56 mit hoher mathematischer Intelligenz.
57 Dichter und Schriftsteller wie
58 Shakespeare oder Johann Wolfgang
59 von Goethe hatten hohe sprachliche
60 Intelligenz.
61 Schauspieler wie z.B. Jim Carrey
62 und Sportler wie der Basketballer
63 Michael Jordan sind Menschen
64 mit hoher körperlicher Intelligenz.
65 Manche Menschen, wie z.B. Politiker,
66 Lehrerinnen, Krankenschwestern usw.
67 können gut mit anderen Menschen
68 kommunizieren, und manche Menschen
69 können ihre Gefühle und ihre Innenwelt
70 sehr gut analysieren und kontrollieren.
71 Gardner nennt diese beiden Intelli-
72 genzen personale Intelligenzen. Mutter
73 Teresa und Mahatma Gandhi sind
74 Beispiele für Menschen mit hoher
75 personaler Intelligenz.
76 Alle diese Menschen waren und sind
77 sehr intelligent. Aber waren sie auch
78 gut in der Schule?

> ℹ️ erreichen ≈ bekommen

b Manche Menschen sind in bestimmten Intelligenzen sehr stark.
Welche Beispiele findest du im Text?

① Goethe ⋯⋯   ② ⋯⋯   ③ ⋯⋯   ④ ⋯⋯   ⑤ Nadia, ⋯⋯   ⑥ ⋯⋯

c Partnerarbeit. Welche Intelligenzen braucht ihr bei diesen Tätigkeiten?

> ✹ tanzen ✹ ein Referat halten ✹ lesen ✹
> ✹ fotografieren ✹ rechnen ✹ ... ✹

⊙ Wenn ich tanze, brauche ich ... / Beim Tanzen braucht man ...
◆ Nein, ich glaube da braucht man ... / Ja, das glaube ich auch.

d Was meint ihr? Was sind eure starken Intelligenzen?

> Ich bin gut in ... Das ist
> sprachliche / ... Intelligenz, glaube ich.

> Ich kann gut ... Das ist
> wahrscheinlich ... Intelligenz.

B1 Intelligenzen haben eine Geschichte.

> " Er lernte **mit sechs Jahren** Klavier spielen.

a Lies die Sätze. Welche Situation passt zu welcher Person? Welche Intelligenzen passen?

Ⓐ ?

Ⓑ ?

Ⓒ ?

Jean-Paul Sartre (Schriftsteller)
····· Intelligenz

Hillary Clinton (Politikerin)
····· Intelligenz

Charlie Chaplin (Schauspieler)
····· Intelligenz

1 ᵂᵃⁿⁿ? Mit fünf Jahren verkleidet er sich ᵂᵃⁿⁿ? jeden Abend als Straßenjunge und spielt diese Rolle in einem Londoner Theater.

2 Sie löst Probleme mit Selbstgesprächen. Ihre Gesprächspartnerin ist ᵂᵃⁿⁿ? meistens Eleanor Roosevelt, ihr großes Vorbild.

3 ᵂᵃⁿⁿ? Abends nimmt er sein Tagebuch und schreibt und schreibt und schreibt. Er vergisst ᵂᵃⁿⁿ? dann alles um sich herum und kann ganz er selbst sein.

> ⓘ sich verkleiden ≈ man zieht andere Kleider an, weil man anders aussehen möchte, z.B. im Karneval

b Partnerarbeit. Sortiert die unterstrichenen Zeitangaben aus a und die Zeitangaben im Kasten. Sammelt weitere Zeitangaben und sortiert sie.

> ✪ letzten Sommer ✪ zuerst ✪ dann ✪
> ✪ zu Ostern ✪ am Ende ✪ im Mai ✪
> ✪ um zehn (Uhr) ✪ von Montag bis Freitag ✪
> ✪ übermorgen (= in zwei Tagen) ✪
> ✪ abends ✪ zu Weihnachten ✪
> ✪ vorgestern (= vor zwei Tagen) ✪

Zeitangaben		
mit Präposition	**mit Akkusativ**	**als Einzelwort (Adverb)**
am Montag (= nächsten Montag)	**jeden** Montag, **nächsten** Montag	**montags** (= jeden Montag; *auch:* sonntags, samstags, morgens …)
·····	·····	·····

B2 Intelligenzen im Alltag

a Hör zu. Über welche Intelligenzen sprechen Marko und Vanessa indirekt?

> Marko: ····· | Vanessa: ·····

b Hör noch einmal. Ordne zu und erzähle.

> Seit seinem dritten Lebensjahr liebt Marko Zahlen. …

Marko	
1 seit meinem dritten Lebensjahr	Ⓑ
2 mit drei Jahren	?
3 zu meinem vierten Geburtstag	?
4 am selben Tag	?

Ⓐ Buch mit Rechenaufgaben bekommen
Ⓑ Zahlen lieben
Ⓒ alle Aufgaben lösen
Ⓓ bis 100 zählen können

Vanessa	
1 letztes Wochenende	?
2 dann	?
3 nach einiger Zeit	?
4 schließlich	?

Ⓐ Freundin besuchen
Ⓑ abholen
Ⓒ Freundin anrufen
Ⓓ in die falsche Richtung gehen

c Partnerarbeit. Macht Notizen und erzählt eine Geschichte. Die Geschichte soll zu einer Intelligenz passen. Deine Partnerin / Dein Partner errät die Intelligenz.

> Urlaub in Kroatien
> surfen
> tauchen, schwimmen
> Volleyball spielen
> Wassergymnastik
> in der Disco tanzen

● Wassergymnastik

> Letzten Sommer war ich…
> Im Juli …
> Vor einem Jahr …
> Dann …
> Schließlich …
> Zuletzt …

C1 Gedächtnistipps

a Lies den Test. Welche Tipps gibt Frau Dr. Vogt für das Vokabellernen? Was meinst du? Kreuze an.

Du denkst, du hast kein gutes Gedächtnis? Falsch. Dein Gedächtnis kann mehr Informationen aufnehmen als die meisten Computer. Das Problem ist: Oft finden wir die Informationen in unserem Gedächtnis nicht mehr, weil wir sie „vergessen" haben. Es gibt aber gute Strategien gegen das Vergessen.

Psychologin Dr. Vogt

 Gedächtnis ≈ alle Informationen in unserem Kopf

Neue Wörter lernen

1 Wenn man neue Wörter lernt,

- **A** soll man sie zu Hause lernen.
- **B** soll man sie ins Wortschatzheft schreiben.
- **C** soll man sie sofort in einer Situation benutzen.

2 Wenn man neue Wörter lernen muss,

- **A** soll man sich immer ein Bild oder eine Situation zu den Wörtern vorstellen.
- **B** soll man die Wörter in einem Text im Kursbuch suchen.
- **C** soll man eine Liste mit den neuen Wörtern schreiben.

3 Wenn man sich zehn neue Wörter merken soll,

- **A** soll man jedes Wort fünfmal laut lesen.
- **B** soll man mit den Wörtern eine Geschichte machen und sich die Geschichte merken.
- **C** soll man die Liste viermal abschreiben.

4 Wenn man Wörter wiederholt,

- **A** soll man sie lesen und laut sprechen.
- **B** soll man die Wörter auf Deutsch lesen und sie in die Muttersprache übersetzen.
- **C** soll man die Wörter in der Muttersprache lesen und sie ins Deutsche übersetzen.

5 Wenn man Wörter wiederholt,

- **A** soll man zuerst alle Wörter wiederholen. Dann markiert man „Problemwörter" und wiederholt diese noch einmal.
- **B** soll man immer alle Wörter wiederholen.
- **C** soll man nur die neuen Wörter wiederholen.

6 Wie oft muss man Wörter wiederholen, bis sie im Gedächtnis bleiben?

- **A** dreimal kurz vor einem Test
- **B** einmal in der Woche eine Stunde lang
- **C** jeden Tag

7 Die beste Zeit für das Wiederholen ist

- **A** kurz vor der Klassenarbeit.
- **B** vor dem Einschlafen.
- **C** beim Essen.

b Hör das Interview mit Frau Dr. Vogt und vergleiche. 🔊 **3** **8**

c Partnerarbeit. Welche Strategien kennt ihr noch? Sammelt Ideen (z. B. auch die Lerntipps im Arbeitsbuch). Welche Strategien funktionieren gut für euch? Erzählt und vergleicht.

C2 Strategien im Test

a Sieh die Wörter zwei Minuten lang an und lerne sie.

 klingeln

 ● Puzzle

 schädlich ≈ ungesund, z.B. Rauchen

 ● Ausweis

 ● Bikini

● Flöte

 ● Insekt

 ● Quark

● Zucker

 streiken ≈ man arbeitet nicht und protestiert

 ● Balkon

 ● Burg

 ● Gedicht

 ● Kirche

 ● Teppich

 ● Motorroller

b Wie viele Wörter aus **a** weißt du noch? Schreib alle Wörter auf.

c Partnerarbeit. Vergleicht eure Listen. **3 9**
Was bedeuten die Wörter in eurer Sprache?
Hört dann alle Wörter und ergänzt eure Listen.

d Partnerarbeit. Schreibt zu fünf schwierigen Wörtern aus **a** drei Assoziationen. Vergleicht mit eurer Partnerin / eurem Partner und erklärt eure Assoziationen.

streiken: *mehr Geld, nicht arbeiten, Plakat*
Insekt: *klein,* ....

e Partnerarbeit. Schreibt zu fünf Wörtern einen wahren, persönlichen Satz. Lest euch eure Sätze vor.

Ich habe in der Grundschule Flöte gespielt.
Meine / Mein ...

f Mach dein Buch zu und schreib noch einmal alle Wörter aus dem Gedächtnis auf.

C3 Wörter und Situationen

> **99** Doch **beim Spielen** mit anderen Kindern hatte Nadia Probleme.

a Partnerarbeit. Sammelt Wörter. Schreibt zu jedem Begriff drei Verben. Sucht auch Wörter im Wörterbuch.

1 am Morgen: *aufstehen,* ....
2 am Vormittag: ....
3 am Mittag: ....
4 am Nachmittag: ....
5 am Abend: ....
6 in der Nacht: ....

- ✪ rechnen
- ✪ einkaufen
- ✪ Fahrrad fahren
- ✪ E-Mails schreiben
- ✪ Sporttasche auspacken
- ✪ duschen
- ✪ tanzen
- ✪ fernsehen
- ✪ ...

b Ergänze die Texte. Hör zu und vergleiche. ◀)) **3 10**

> ℹ️ Aus Verben kann man ganz leicht Nomen machen:
> aufstehen ➡ **das A**ufstehen
> ➡ **beim A**ufstehen ≈ wenn ich aufstehe
> (= zur gleichen Zeit)

Beim Aufstehen denke ich ans Zähneputzen,
beim Zähneputzen denke ich ans Duschen,
beim 1 ⬭ denke ich ans Anziehen,
beim 2 ⬭ denke ich ans Frühstück.
Warum bin ich immer meiner Zeit voraus?

Vor dem Fernsehen sucht er das Fernseh-
programm,
vor dem 3 ⬭ sucht er seine Fußballschuhe,
vor dem 4 ⬭ sucht er seine Brille,
er macht mich noch ganz verrückt!

Nach dem Essen vergisst sie das Händewaschen,
nach dem 5 ⬭ vergisst sie das Bettenmachen,
Nach dem 6 ⬭ vergisst sie das Abwaschen,
nach dem Joggen vergisst sie das Duschen,
lange bleibe ich nicht mehr ihr Freund.

c Schreibt kurze Texte wie in **b**.
Sucht einen guten Schlusssatz.

Beim Einkaufen / denke ich ans ...
Nach dem Tanzen /... vergesse ich ...
Vor dem Lernen /.... suche ich ...
...
Warum lebe ich immer nur in der Vergangenheit?
Warum denke ich immer nur an die Schule / an ...?
Stimmt etwas nicht mit mir?
Einmal möchte ich an nichts denken müssen.
...

D1 Das Spiegelbild, Teil 2: Das Wiedersehen

a Sieh die Fotos auf Seite 95 noch einmal an. Zeig die Wörter.

nasses ● Handtuch ● Shampoo ● Farbfleck

b Partnerarbeit. Erfindet mit den Wörtern eine kleine Geschichte.

umbauen

● Stress
Shampoo
Handtuch
Farbfleck

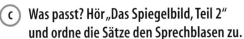
streichen (gestrichen)

Wir haben unsere Wohnung umgebaut. Ich ...

c Was passt? Hör „Das Spiegelbild, Teil 2" 🔊 3 11 und ordne die Sätze den Sprechblasen zu.

1 „Sag mal, wird bei euch wirklich das Bad neu gemacht?"
2 „Habt ihr gestern noch ein Elektronikgeschäft gefunden?"
3 „Nein ... aber die Küche bei meiner Cousine."
4 „Na und? ... Vielleicht war sie ja auch im Schwimmbad ..."
5 „Ja, aber wir hatten Pech: Der Laden ist erst am Montag wieder geöffnet.
6 „Ohne Bikini? ... Das glaubst ja auch nur du, oder?"
7 „Oh Mann, das ist ja voll stressig."

Teil 2

A ? B ? C ?
D ? E ?
F ? G ?

ℹ ● Stress ↪ stressig
● Pech haben ≈ kein Glück haben

d Hör noch einmal. Was sagen die Personen? Finde die passenden Sätze.

1 Tim will nicht, dass Niklas die Mädchen laut begrüßt. **B**	**A** „Dein Badezimmer wird doch auch umgebaut und gestrichen, oder?"
2 Tim hat eine Vermutung. **?**	**B** „Jetzt reicht es aber. Lass doch den Quatsch, Niklas!"
3 Mia denkt, Tims Vermutungen sind Unsinn. **?**	**C** „Gar nicht so dumm, der Elektroniker."
4 Mia ist böse. **?**	**D** „Nicht böse sein, Mia! Er ist halt so."
5 Lena findet Tims Vermutungen etwas seltsam. **?**	**E** „Und woher weißt du das? Warst du vielleicht bei Lena zu Hause, oder was?"
6 Niklas will Mia trösten. **?**	**F** „Ach lass mich doch in Ruhe!"
7 Lena sagt ihre Meinung über Tim. **?**	**G** „Bei mir zu Hause? Wie meinst du denn das?"

ℹ ● Quatsch ≈ Unsinn
jmdn. in Ruhe lassen ≈ jmdn. nicht nerven

e Warum reagieren die Jugendlichen so? Was meint ihr? Sprecht auch in eurer Muttersprache.

1 Warum will Tim nicht, dass Niklas laut „Hey, hallo!" ruft?
2 Warum wird Mia böse?
3 Warum tröstet Niklas Mia?
4 Warum sagt Lena: „Gar nicht so dumm, der Elektroniker"?

E1 Bei Claudia wird gestrichen.

🔊 Das Geschäft **wird** gerade **gestrichen.**

a Wer macht was? Schreib Sätze.

Passiv Die Farbe **wird gemischt.** **werden + Partizip II**	Aktiv Claudia mischt die Farbe.

	Passiv	Aktiv
1	Die Möbel werden ausgeräumt.	Claudia und Lena räumen ⚬⚬⚬
2	Die Fenster und der Boden werden abgeklebt.	Lena ⚬⚬⚬
3	Die Farbe wird gemischt.	Claudia ⚬⚬⚬
4	Das Zimmer wird gestrichen.	Claudia und Lena ⚬⚬⚬

b Wie geht das?
Ordne zu und beschreibe dann die Tätigkeiten.

A Tee kochen	**B** Vokabeln lernen	**C** In den Urlaub fliegen
❸ ❓ ...	❓ ...	❓ ...

❶ Tee trinken (getrunken)
❷ Wörter wiederholen (wiederholt)
❸ ~~Wasser heiß machen (gemacht)~~
❹ zum Flughafen fahren (gefahren)
❺ Wörter lesen (gelesen), hören (gehört) und verstehen (verstanden)
❻ Tee in eine Tasse geben (gegeben)
❼ in die Maschine steigen (gestiegen)
❽ Teeblätter ✿ hineingeben (hineingegeben)
❾ Reisepass vorzeigen (vorgezeigt)
❿ Zucker und Milch hineingeben (hineingegeben)
⓫ Wörter benutzen (benutzt)
⓬ Gepäck abgeben (abgegeben)

Zuerst wird Wasser heiß gemacht.
Dann werden Teeblätter ...

✿ Teeblätter
(● Teeblatt)

c Was wird an den Orten <u>nicht</u> gemacht? Findet die falschen Verben. Macht dann ähnliche Übungen für eure Partnerin / euren Partner.

> In einer Fußgängerzone wird eingekauft und spazieren gegangen. Aber normalerweise wird dort nicht Moped gefahren. Das ist verboten.

Fußgängerzone:
• einkaufen (eingekauft)
• spazieren gehen (gegangen)
• Musik machen (gemacht)
• ~~Moped fahren (gefahren)~~

Krankenhaus:
• kranke Verwandte besuchen (besucht)
• tauchen (getaucht)
• Patienten operieren (operiert)
• Tabletten nehmen (genommen)

 ● Tablette

Postamt:
• Briefmarken kaufen (gekauft)
• Pakete abholen (abgeholt)
• Briefe aufgeben (aufgegeben)
• kochen (gekocht)

Flohmarkt:
• alte Bücher verkaufen (verkauft)
• fernsehen (ferngesehen)
• alte Lampen kaufen (gekauft)
• nach dem Preis fragen (gefragt)

 ● Flohmarkt

> ✪ Kaufhaus ✪ Schule ✪ Küche ✪
> ✪ Badezimmer ✪ Schwimmbad ✪ Diskothek ✪
> ✪ Wohnzimmer ✪ Bücherei ✪ ... ✪

d Was machst du gern selbst? Was wird für dich gemacht? Warum? Schreib fünf Sätze mit den Wörtern im Kasten.

Ich koche gern selbst, wenn ... / weil ...
Ich mag es, wenn für mich gekocht wird, weil ...
Meistens kocht bei uns ....

> ✪ Fahrrad reparieren ✪ Wäsche waschen ✪
> ✪ lesen/vorlesen ✪ Betten machen ✪
> ✪ Kleider/CDs/... kaufen ✪ Musik machen ✪
> ✪ das Zimmer aufräumen ✪ Zimmer streichen ✪
> ✪ Computerprogramme installieren ✪

e Gruppenarbeit. Lest eure Sätze vor. Findet Gemeinsamkeiten.

> Wir mögen es, wenn wir selbst kochen, weil es dann unser Lieblingsessen gibt.

eXtra

F1 Alles vergessen?

a) Was vergisst du schnell?
Was vergisst du nicht so schnell?

Das vergesse ich schnell ☹: •••••
Das vergesse ich nicht so schnell ☺: •••••

⊗ Geburtstage ⊗ Termine ⊗
⊗ Hausaufgaben ⊗
⊗ peinliche Situationen ⊗ ...

b) Lies das Lied und ergänze.
Hör dann und vergleiche. ⑶ 12

F2 Geschichten über das Vergessen

a) Lies die Anzeige und Angelas Text.

Wettbewerb

Wir suchen die besten Geschichten zum Thema
„Vergessen".
Schreib 50 bis 100 Wörter und gewinne einen Preis.
Auf diese Fragen solltest du in deinem Text antworten:

1 Was hast du oder jemand anders vergessen?

2 Welche Probleme hat es gegeben?

3 Wie hast du und wie haben andere Personen
reagiert?

4 Welche Lösungen habt ihr gefunden?

1 _Meine Tante hat ein wunderschönes Haus an einem herrlichen_
2 _Badesee. Letzten Sommer durften meine Freundin und ich_
3 _in den Ferien eine Woche in ihrem Haus wohnen. Nach fünf_
4 _Stunden Bahnfahrt waren wir endlich da. Doch wir hatten_
5 _keinen Schlüssel. Der Schlüssel war zu Hause auf meinem_
6 _Schreibtisch. Zum Glück ist meine Freundin ein ruhiger Typ,_
7 _und zum Glück hatten wir beide unsere Schlafsäcke dabei. Wir_
8 _haben eine Nacht auf der Terrasse geschlafen. Den Schlüssel_
9 _haben wir am nächsten Tag mit dem Express–Service von_
10 _meinen Eltern bekommen._

b) Wo stehen die Antworten zu den Fragen in der Anzeige?

Frage 1: Zeile ••••• | Frage 2: •••••

c) Schreib selbst einen Text für den Wettbewerb.

Alles vergessen!

1 Wird man gefragt oder wird man gefragen?
Wird man getragt oder wird man •••••?
Sagt man ‚ein neuer Kleid' oder ‚•••••'?
Heißt es ‚•••••' oder ‚ein altes Streit'?

//: OH ... wir haben **alles vergessen**.
Unser Kopf ist leer, die Grammatik ist weg. ://

Bitte helft uns!
g̶e̶f̶r̶a̶g̶t̶ • ein neues Kleid • ein alter Streit • getragen

2 Marie, Marie, du bist ... äh ... _wunderbar_
Marie, ich liebe dein ... ähm ••••• tja
Kein Mädchen ist so ••••• h-h-hm
Und deshalb ... ähm, also ... öh •••••

//: OH ... Hans-Peter hat **alles vergessen**.
Sein Kopf ist leer und alle Wörter sind weg. ://

Bitte helft Hans-Peter!
w̶u̶n̶d̶e̶r̶b̶a̶r̶ • möchte ich mit dir gehen • wunderschön • goldenes Haar

3 Hör mal, du wolltest dein Zimmer aufräumen
Hey! Du solltest nicht immer nur träumen!
Sag mal, hast du heute schon Mathe gelernt?
Und hast du aus dem T-Shirt alle Flecken entfernt?

//: HA ... Ich habe **alles vergessen**.
Vergessen ist wichtig, das ist mir jetzt klar. ://

Nein, ich habe keine Lust! Bitte helft mir beim Vergessen!

Rosi Rot und Wolfi

Ich koche nicht selbst,
für mich wird gekocht.

Wolfi, geh einkaufen, wasch
die Wäsche und mach
das Mittagessen!
Ich geh ins
Schwimmbad.

Ist gut,
Rosi.

Ich putze nicht selbst,
für mich wird geputzt.

23 A — Weißt du, wer das erfunden hat?

A1 Original und Kopie. Welche Fotos passen zusammen? Was meinst du?

4 Äste ✽ wachsen nach bestimmten Regeln.

1 Ratten nagen auch Holz und Beton an.

2 Die Lotusblume: immer wunderschön.

3 Der Haifisch: Seine Haut macht ihn im Wasser besonders schnell.

 ✽ ● Ast

A2 Bionik

a Lies und hör den Text. Vergleiche die ◀))) **3** 13 Informationen im Text mit deinen Vermutungen in a.

> *i* wachsen ≈ größer werden
> kopieren ≈ etwas 1:1 nachmachen
>
> erfinden ≈ eine Idee für etwas Neues haben
> Trick ≈ mit einer guten Idee etwas einfacher machen
> senden ≈ schicken
> teilen ≈ Teile aus etwas machen

Kopieren erlaubt

1 Messer, die nie stumpf werden. Schwimmanzüge, die neue
2 Schwimmrekorde möglich machen. Autos, die auch unter
3 Wasser fahren ...
4 Immer wieder stehen Forscher und Techniker vor neuen
5 Aufgaben. Auf manche Fragen hat aber die Natur schon
6 originelle Antworten gefunden. Wir müssen diese Lösungen
7 nur kopieren. An deutschen Universitäten teilen sich Biologen
8 und Techniker diese Arbeit. Die Biologen forschen in der Tier-
9 und Pflanzenwelt, die Techniker erfinden und bauen die neuen
10 Materialien und Maschinen. Dieses neue Forschungsgebiet
11 nennt sich Bionik, ein Mischwort aus Biologie und Technik.
12 Die Ergebnisse der Bionik sind fantastisch. Hier sind einige
13 davon:
14 Die Blätter der Lotusblume bleiben immer schön, kein Schmutz
15 bleibt an ihnen hängen. Bioniker wissen heute, warum das so
16 ist. Sie haben den Trick der Lotusblume entdeckt. So können
17 wir heute Kleider kaufen, die man besser sauber machen
18 kann und die auch länger sauber bleiben.
19 Wie kommunizieren Delfine unter Wasser? Die Kommuni-
20 kation unter Wasser ist für Menschen sehr schwierig.
21 Forscher haben entdeckt, dass Delfine einmal hohe Signale
22 senden, dann tiefe. So funktioniert die Kommunikation unter
23 Wasser besser. Inzwischen gibt es einen Computer, der die
24 Kommunikationstechnik der Delfine benutzt.
25 Ratten können Holz oder sogar Beton annagen. Ihre Zähne
26 werden nie stumpf. Die Forscher wissen heute, wie die Tiere

27 das machen. Sie haben ein Messer erfunden, das wie ein
28 Rattenzahn funktioniert: Ein Messer, das niemals stumpf
29 wird.
30 Was kann man von den Fischen über das Schwimmen
31 lernen? Auch diese Frage interessierte die Bioniker. So
32 hat man Schwimmanzüge erfunden, die wie die Haut des
33 Haifisches funktionieren. Mit diesen Anzügen werden
34 bei Weltmeisterschaften sicher bald neue Rekorde
35 geschwommen.
36 Bäume können ein großes Gewicht tragen, sind aber selbst
37 ziemlich leicht. Wie machen sie das? Die Äste der Bäume
38 wachsen nach ganz bestimmten Regeln. Techniker haben
39 diese Regeln für Gebäude kopiert. Die Konstruktion ist leicht,
40 kann aber viel Gewicht tragen.
41 Leonardo da Vinci (1452–1519)
42 war vor fünfhundert Jahren
43 wohl der erste Bioniker: Er
44 wollte das Fliegen von den
45 Vögeln lernen. Er selbst hat es
46 nicht ganz geschafft. Doch heute
47 fliegen wir in Flugzeugen um
48 die Welt. Unsere Informationen
49 über das Fliegen kommen aus der Natur.
50 Und die Forscher sind sicher: Da sind noch viel mehr
51 interessante Lösungen in der Natur, die wir kopieren
52 können.

Zeichnung ca. 1505

② ● Anzug

A Moderne Kleidung kann man leichter reinigen. ?

B Die Konstruktion kann viel Gewicht tragen. ?

C Spezielle Schwimmanzüge ⚙ machen neue Weltrekorde möglich. ?

D Ein Messer, das nie stumpf ⚙ wird. ?

③ stumpf

b Was ist Bionik? Wer war der erste Bioniker?

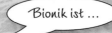 Bionik ist …

c Ergänze die Sätze mit Informationen aus dem Text.

> **A** Rattenzahn **B** Lotusblume **C** Äste **D** Delfine **E** Schwimmanzüge
> **F** ~~sauber~~ **G** stumpf **H** Gewicht **I** schneller **J** kommunizieren

Bioniker haben entdeckt, …

1 … dass unsere Kleidungsstücke länger **F** bleiben, wenn wir für unsere Kleider den Trick der **B** benutzen.

2 … dass man mit Computern unter Wasser besser ? kann, wenn man dabei wie die ? einmal hohe und einmal tiefe Signale benutzt.

3 … dass Messer nie ? werden, wenn sie wie ein ? gebaut sind.

4 … dass Schwimmer ? schwimmen, wenn ihre ? wie Haifischhaut funktionieren.

5 … dass Konstruktionen für Gebäude mehr ? tragen können, wenn sie wie die ? von Bäumen gebaut sind.

A3 **Was war wohl das Vorbild in der Natur für diese Erfindungen? Was meinst du? Sprich auch in deiner Muttersprache.**

● Klettverschluss

● Salzstreuer

● Stacheldraht

Lösung: S. 141

Ich denke, das Modell für den Klettverschluss war ein Tier, vielleicht …

B1 Erfindungen

> Ein Messer, **das** niemals stumpf wird.

a Ergebnisse der Bionik. Ordne zu.

1 Ein Schwimmanzug, **?**
2 Ein Messer, **?**
3 Eine Jacke, **?**
4 Autos, **?**

> **A** die auch unter Wasser fahren.
> **B** die man leicht reinigen kann.
> **C** der neue Rekorde möglich macht.
> **D** das niemals stumpf wird.

Relativsatz

Ein Schwimmanzug.
Was für ein Schwimmanzug? Der Schwimmanzug macht neue Rekorde möglich.

Ein ● **Schwimmanzug,**
Was für ein Schwimmanzug? ● **der** neue Rekorde möglich **macht.**

Ein ● **Messer,** ● **das** ...
Eine ● **Jacke,** ● **die** ...
○ **Autos,** ○ **die** ...

b Finde die zehn Relativsätze im Text in A2a.

c Partnerarbeit. Welche Erfindungen gibt es? Was meint ihr? Schreibt Relativsätze und ordnet zu.

> **Die Erfindung gibt es:**
> Ein Computer, der die menschliche Stimme versteht.
>
> **Die Erfindung gibt es nicht:**
> ...

> ★ Streichholz (nicht brennen)
> ✪ Kühlschrank (Einkaufszettel schreiben)
> ✪ Feuerlöscher ❇ (unter Wasser funktionieren)
> ✪ Kleiderschrank (Kleider für seinen Besitzer aussuchen)
> ✪ Bleistifte (Radiergummi an beiden Enden haben)
> ✪ Kugelschreiber (Texte übersetzen können)
> ✪ Bild (Farbe wechseln)
> ✪ Einkaufstüte ✿ (nach drei Monaten Wasser werden)
> ✪ virtuelle Freundin (im Internet „leben")

Lösung: S. 141

❇ ● Feuerlöscher   ✿ ● Einkaufstüte

d Welche Erfindungen sind nützlich? Was meint ihr?

> Ein Streichholz, das nicht brennt. Findest du so etwas nützlich?

> ⓘ nützlich ≈ man kann es gut brauchen

> Ich weiß nicht ...

B2 Fortschritt

> Die Ergebnisse **der Bionik** sind fantastisch.

a Vorbilder. Was war das Vorbild in der Natur für diese Erfindungen? Ordne zu.

1 Schwimmanzug **?**
2 Kleidung **?**
3 Messer **?**
4 Kommunikation unter Wasser **?**

> **A** der Trick des Lotusblumenblatts
> **B** die Kommunikation der Delfine
> **C** die Haut des Haifischs
> **D** die Zähne der Ratte

Genitiv

		Welche Erfindung?
die Erfindung	**des** ●	Kaugummi**s**
die Erfindung	**des** ●	Flugzeug**s**
die Erfindung	**der** ●	Kamera
die Erfindung	**der** ○	Streichhölzer

e **Lies die Texte. Ergänze die fehlenden Relativsätze und ordne die passende Erfindung zu.**

A • Kaugummi

B Klettverschluss

C Kugelschreiber

D • Kaffeefilter

E Klebstoff

F Kaffeemaschine

G • Schreibmaschine

1 **B**

Schweiz, 1948. George de Mestral wandert in den wunderschönen Wäldern ●●●●. Ihm gefällt sein Ausflug. Nur die Kletten ●●●●, stören ihn. Doch dann wird er neugierig. Wie funktionieren Kletten eigentlich?

Wunderschöne Wälder liegen in der Nähe von Lausanne.
…, die in der Nähe von Lausanne liegen.

Die Kletten sind überall auf seinen Kleidern.
…, die überall auf seinen Kleidern sind

 neugierig ≈ man möchte etwas unbedingt wissen

2 **?**

Ungarn 1938: Eine Zeitung wird gedruckt: Der Journalist Laszlo Biro sieht die großen Rollen ●●●●. „Braucht man wirklich so große Maschinen?", denkt er sich und hat eine Idee …

Große Rollen bringen die schwarze Farbe auf das Papier. ●●●●

• Rolle

3 **?**

New York, 1869: Der Amerikaner Thomas Adams ist nicht zufrieden mit seinen Gummistiefeln. Das Material ist zu hart, die Schuhe sind unbequem. Er produziert einen Gummi ●●●●. Doch die neuen Stiefel sind bald kaputt. Da steckt er ein bisschen Gummi in den Mund …

Der Gummi ist viel weicher. ●●●●

hart   weich

• Gummistiefel

4 **?**

Dresden 1908: Der Kaffee ist ja ganz gut. Aber das Kaffeepulver ●●●●, stört die Hausfrau Melitta Benz. Sie hat eine Idee. Ihre Kinder haben doch diese praktischen Löschblätter ●●●● …

Das Kaffeepulver bleibt am Ende in der Tasse. ●●●●

Die Löschblätter helfen bei Tintenflecken. ●●●●

• Tasse

• Tintenfleck

• Löschblatt

b **Finde die sechs Genitive im Text in A2a.**

c **Welche Erfindung ist gemeint?**

1 Man kann mit dem Fahrrad steile Berge hinauf und hinunter fahren. _Die Erfindung des_ ●●●●

2 Man steht still und bewegt sich doch nach oben. ●●●●

3 Teller und Gläser muss man nicht mehr mit der Hand abwaschen. ●●●●

4 Man muss keine Brille tragen und sieht doch gut. ●●●●

5 Man kann von sehr hoch oben auf die Erde springen. ●●●●

6 Das Fluggerät kann in der Luft still stehen. ●●●●

✪ Kontaktlinsen (Heinrich Wöhlk, Deutschland, 1940)

✪ Mountainbike (Gary Fisher, USA, 1973)

✪ Helikopter (Igor Iwanowitsch Sigorski, Russland, 1939)

✪ • Geschirrspülmaschine (Josephine Cochrane, USA, 1886)

✪ • Fallschirm (Faust Vrančić, Kroatien, 1597)

✪ Rolltreppe (Jesse Reno, USA, 1892)

• Kontaktlinse

• Rolltreppe

C1 Die Erfindung des Computers

a) Sieh die Bilder an und ordne zu. Hör zu und vergleiche.   🔊 3 14

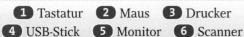

1 Tastatur **2** Maus **3** Drucker
4 USB-Stick **5** Monitor **6** Scanner
7 CD-ROM-Laufwerk **8** Laptop

b) Spart der Computer Zeit? Lies die Umfrage in der Schülerzeitung. Was meinen Silvio und Dragana?

sparen

Silvio meint, dass …

Spart der Computer Zeit?

Viele meinen, dass der Computer wohl die beste Erfindung der letzten Jahrzehnte ist, weil er uns so viel Zeit spart. Da bin ich ganz anderer Meinung. Im Gegenteil, mein Computer ist ein richtiger Zeitfresser. Den Computer **1** hoch_____, den richtigen **2** O_____ und die richtige **3** ____ei suchen, schon das dauert ziemlich lange. Manchmal streikt der Computer total und du suchst stundenlang den Fehler. Wenn du etwas aus dem Internet **4** _____laden willst, wenn du etwas **5** ausdr_____ willst … überall kann es Probleme geben. Das kostet Zeit. Und wenn du einmal deine Arbeit nicht **6** sp_____ , dann kannst du wieder von vorne anfangen. Das soll Zeit sparen?
Silvio

Ja, ganz sicher. Der Computer spart Zeit. Früher musste ich in die Bibliothek gehen, wenn ich Informationen für ein Projekt gesucht habe. Jetzt **7** s____ ich im Internet. Ich **8** kl___ eine **9** _____aschine an, gebe das Thema ein und finde meistens das, was ich brauche. Ich muss meine Freunde nicht mehr besuchen, wir können einfach **10** on___ in Kontakt bleiben. Wir schreiben uns E-Mails oder treffen uns in unserem **11** Ch_____ im Internet. Von meinen Fotos kann ich eine CD **12** _____nen und sie jemandem schenken. Und das kann ich alles von zu Hause aus machen. Das spart natürlich Zeit.
Dragana

c) Lies die Texte noch einmal und ergänze die Wörter. Hör dann die Texte und vergleiche.   🔊 3 15

Ordner   speichern   hochfahren

ausdrucken   herunterladen   Datei

anklicken   online   Suchmaschine

brennen   surfen   Chatroom

d) Partnerarbeit. Sprecht über die Fragen.

1 Spart der Computer Zeit? Warum (nicht)?
2 Hattet ihr schon einmal Probleme mit dem Computer? Welche?
3 Surft ihr gern im Internet? Warum (nicht)?
4 Welche Computerwörter auf dieser Seite kennt ihr schon? Wie merkt ihr euch die neuen Wörter?

D1 Im Kaufhaus. Wo bekommt man was? Macht Partnerdialoge.

☺ Shampoo ☺ CDs ☺ Puppe ☺
☺ Anzug ☺ Tennisbälle ☺
☺ Drucker ☺ Staubsauger ☺ ... ☺

3. Stock:	Spielzeug, Kinderkleidung
2. Stock:	Herrenbekleidung, Schreibwaren, Eingang Sporthaus
1. Stock:	Damenbekleidung, Kosmetik und Toilettenartikel, Ausgang Parkhaus
Erdgeschoss:	CDs, DVDs, Elektronik, Computer
Untergeschoss:	Haushaltsgeräte, Geschirr

☉ Wo bekomme ich einen/ein/eine ...?
◆ Im Erdgeschoss/ersten Stock ...

D2 Das Spiegelbild, Teil 3: Der Tratsch

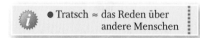
ⓘ ● Tratsch ≈ das Reden über andere Menschen

a Sieh die Fotos an. Wo sind Niklas und Mia? Was kauft Niklas?

Teil 3

b Hör den Dialog. In welcher Reihenfolge kommen die Gesprächsthemen im Dialog vor? Nummeriere. 🔊 ③ 16

A ⬭ Tims Charakter
B ⬭ Lenas Fragen
C _1_ Kundin an der Kasse
D ⬭ Tims Aktivitäten
E ⬭ Bionik
F ⬭ Hochzeitsgeschenk
G ⬭ Mias Computerprobleme
H ⬭ Tims Werkstatt
I ⬭ Tims Fragen
J ⬭ Termine

c Hör noch einmal. Wer sagt was? Welcher Satz passt zu welchem Thema in b?

☺ Verkäuferin ☺ Mia ☺ Niklas ☺

Sprecher	Satz	Thema
⬭	Ein Geschenk, das wirklich nützlich ist. Ein Ergebnis der Bionik.	?
Verkäuferin	Zahlen Sie bar oder mit Kreditkarte?	**C**
⬭	Ach, du meinst Tim? Der ist in seinem Keller.	?
⬭	Ich rede mit Tim und sag dir dann gleich Bescheid, ja?	?
⬭	Tim hat außer mir gar keine Freunde.	?
⬭	Ich brauche dringend ein Hochzeitsgeschenk für meine Schwester.	?
⬭	Mit meinem Laptop stimmt was nicht.	?
⬭	Die will schon die ganze Zeit wissen, wo Tim wohnt.	?
⬭	Tim wollte auch schon wissen, wie alt Lena ist.	?
⬭	Na was wohl? Elektronische Geräte bauen.	?

bar   ● Kreditkarte

ⓘ Bescheid sagen ≈ Informationen geben

er hat außer mir keine Freunde ≈ nur ich bin sein Freund

d Was meinst du? Warum soll Lena in Tims Werkstatt mitkommen?

Niklas und Mia wollen, dass ...

E1　Tratsch

 Da kannst du gleich Lena fragen, **ob** sie auch **mitkommt**.
Tim wollte auch schon wissen, **wie** alt Lena **ist**.

a) Hör noch einmal das Gespräch von Lena und Niklas, ergänze und ordne zu.  **3** **16**

Tim wollte wissen:
2 ? ? ?

Lena wollte wissen:
? ? ?

1  er mit Familiennamen heißt.
2 ..... sie für Hobbys hat.
3 ..... sie Roboter mag.
4 ..... Tim wohnt.
5 ..... alt Lena ist.
6 ..... sie in die Schule geht.
7 ..... er eine feste Freundin hat.

Indirekte Fragesätze

„Ist der Salzstreuer teuer**?**"

Niklas will wissen, **ob** der Salzstreuer teuer **ist**.

„**Wie viel** kostet der Salzstreuer**?**"

Niklas fragt, **wie viel** der Salzstreuer **kostet**.

b) Was haben Tim und Lena gefragt? Schreib die Sätze in a in direkter Rede.

Tim:

„Wie alt .....?" .....

Lena:
.....

E2　Monas Freund

a) Was wollte Christine von Ruth wissen? Schreib indirekte Fragesätze.

Ruth

Christine

1　Christine wollte wissen,　　Monas neuen Freund – habe – ob – gesehen – ich – schon.
2　Christine hat mich gefragt,　Monas Freund – ist – wie alt.
3　Sie hat gefragt,　　　　　　geht – auch in unsere Schule – ob – er.
4　Sie wollte wissen,　　　　　er – wie – aussieht.
5　Sie hat gefragt,　　　　　　ob – hat – er – blonde Haare.
6　Sie wollte wissen,　　　　　heißt – wie – er – und – wie – ist – sein Familienname.

1　Christine wollte wissen, ob ich Monas neuen Freund schon gesehen habe.
2　Christine hat mich gefragt, ...

b) Hör jetzt das Telefongespräch zwischen Christine und Ruth und notiere die Antworten. **3** **17**
Wer ist Monas Freund?

E3　Tratsch im Klassenzimmer. Macht Partnerinterviews.

Partner **A** liest die Fragen auf dieser Seite. Partner **B** liest die Fragen auf Seite 140. Fragt und antwortet.
Ihr dürft die Antworten aber nicht aufschreiben. Ihr müsst sie euch merken. Sucht dann eine andere Partnerin /
einen anderen Partner in der Klasse und erzählt, was ihr über eure erste Partnerin / euren ersten Partner wisst.

Ich habe Pedro gefragt, ob er …

Er hat gesagt, dass …

1　Hast du ein eigenes Zimmer?
2　Was hast du heute zum Frühstück gegessen?
3　Was hast du letzten Samstag gemacht?
4　Warst du schon einmal in Österreich oder in der Schweiz?
5　Kannst du dich an deinen ersten Schultag erinnern?

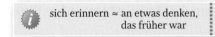
sich erinnern ≈ an etwas denken,
das früher war

eXtra

F1 Evolution in Natur und Technik

a Partnerarbeit. Seht die Bilder an und lest die Fragen.

○ Pferdekutsche

1 Warum haben die
Fledermaus, der
Pinguin und der
Mensch gleich viele
Handknochen?

○ Fledermausflügel ○ Pinguinflosse ○ Handknochen

2 Wer ist der
gemeinsame
Verwandte
unserer Autos?

3 Warum gibt es heute
so viele Automarken?

b Lies und hör den Text. Beantworte dann die Fragen in a. 🔊 ③ 18

Die Giraffe und der Maulwurf haben einen gemeinsamen Verwandten. Deshalb ...

Hand in Hand mit Fledermaus und Pinguin

1 Was haben der Flügel der Fledermaus,
2 die Flosse des Pinguins und die Hand
3 des Menschen gemeinsam? Kaum zu
4 glauben: Der Fledermausflügel, die
5 Pinguinflosse und die Menschenhand
6 haben genau gleich viele Knochen.
7 Wie kann man das erklären?
8 Fledermaus, Pinguin und Mensch
9 haben wohl alle einen gemeinsamen
10 Verwandten, der vor vielen tausend

11 Jahren gelebt hat. Seine Nach-
12 kommen mussten im Wasser, an Land
13 und in der Luft überleben. Sie sahen
14 alle ähnlich aus, trotzdem gab es
15 schon von Geburt an kleine Unter-
16 schiede zwischen ihnen. Die Bio-
17 logen nennen diese natürlichen
18 Veränderungen zwischen den
19 Generationen Mutationen. Manche
20 Mutationen waren gut für das

21 Überleben, manche waren weniger
22 gut. Die Biologen nennen diesen
23 Prozess Evolution.
24 Evolution gibt es aber nicht nur in der
25 Natur, sondern auch in der Technik.
26 So wie Pinguin und Mensch haben
27 beispielsweise auch unsere Autos
28 einen gemeinsamen Verwandten:
29 die Pferdekutsche. Mit der Zeit
30 haben die Techniker unsere Autos
31 immer wieder verändert. Einige
32 Veränderungen waren für die Auto-
33 fahrer nicht so toll. Diese Autos
34 konnten auf dem Automarkt nicht
35 überleben, die Autofirmen konnten
36 sie nicht verkaufen. Viele andere
37 Veränderungen waren für die Käufer
38 aber positiv. Deshalb können wir
39 heute unter Hunderten von Modellen
40 wählen. Die technische Evolution hat
41 das für uns möglich gemacht.

ℹ Hunderte ≈ vielleicht 300, 400 oder 500

F2 Tagebücher

a Lies Manuels Tagebucheintrag. Was ist Manuels Problem?

Freitag
Mona hat mich gefragt,
ob wir am Samstag in die
Disco gehen.
In der Pause habe ich
Julian gesehen.
Er wollte wissen, ob wir
im Feriencamp in einem
Zelt mit Robert und
Sven schlafen. Robert ist

okay, aber Sven!? Ich
habe Julian gefragt, was
er am Samstag macht.
Er hat sofort gesagt,
dass er keine Zeit hat.
Er will Mona fragen, ob
sie mit ihm in die Disco
geht. Ich glaube, das gibt
ein Problem ...

b Schreib einen Tagebucheintrag für dich oder für Lena, Tim, Mia oder Lukas.

Donnerstag
... hat mich gefragt, ob / wann / warum / ...
... wollte wissen, wie / wo / ...
Ich habe ... gefragt, was / ...
... hat gesagt, dass ....

Rosi Rot und Wolf

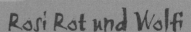

Wo ist Atlantis?
Wer oder was war El Dorado?

A1 Der Krieg um Troja

Partnerarbeit. Was wisst ihr über den Trojanischen Krieg? Lest die beiden Texte und beantwortet dann die Fragen.

Um circa 800 vor Christus erzählt der griechische Dichter Homer in seiner weltberühmten „Ilias" von einem langen und schrecklichen Krieg um die Stadt Troja. Homer selbst hat Troja nie gesehen, denn der Trojanische Krieg war 500 Jahre vor seiner Zeit. Bis heute fragen sich die Forscher: Hat es den Krieg um Troja wirklich gegeben?

B ?

C ?

Wie es zum Krieg um Troja kam ...

Helena, die schönste Frau der Antike, ist mit dem griechischen König Menelaos verheiratet. Auf einem Fest lernt sie Paris kennen, den Sohn des trojanischen Königs Priamos. Bald entdecken Paris und Helena, dass sie sich lieben. Gemeinsam wollen sie in Troja ein neues Leben beginnen. Menelaos ist wütend. Mit Hunderten Schiffen segeln die Griechen nach Troja und wollen Helena zurückholen ...

D ?

> *i* Antike ≈ Zeit zwischen 3000 v. Chr. und 400 n. Chr. im Mittelmeerraum
> klug ≈ intelligent
> zerstören ≈ kaputt machen

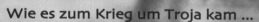

A Paris B Achilles C Priamos
D Menelaos E Odysseus F Helena G Homer

1 Wie heißt der Dichter, der vor fast 3000 Jahren die Geschichte von Troja schrieb? ?
2 Wie heißt die schönste Frau der Antike? ?
3 Wie heißt der Königssohn, der Helena nach Troja gebracht hat? ?
4 Wie heißt der König der Trojaner? ?
5 Wie heißt der griechische König, der seine Ehefrau aus Troja zurückholen wollte? ?
6 Wie heißt der größte Held der Griechen? B
7 Wie heißt der kluge griechische Held, der den Trojanischen Krieg entschieden hat? ?

A2 Troja damals und heute

a Welches Foto passt? Ordne zu.

1 Brad Pitt als Achilles in dem Film „Troja"
2 Troja wird im Trojanischen Krieg zerstört.
3 Heinrich Schliemann (1822–1890)
4 Ausgrabungen in Hisarlik: Auch heute noch haben die Archäologen viele Fragen.

 3 19

b Lies und hör den Text. Welches Foto passt zu welchem Textabschnitt?

Gab es Troja wirklich?

1 ?

1 Am Strand steht ein riesiges Pferd aus Holz. Die
2 griechischen Schiffe sind fort. Der Krieg ist zu Ende. Das
3 denken zumindest die Menschen in Troja. Sie bringen das
4 Pferd in die Stadt und feiern ein großes Fest. Doch in dem
5 riesigen Holzpferd sind griechische Soldaten versteckt.
6 Schließlich schlafen alle Trojaner. Da klettern die
7 Griechen aus dem Pferd, öffnen die Stadttore und lassen
8 ihre Kameraden in die Stadt. Fast alle Trojaner werden
9 getötet, Troja wird zerstört. So erzählt der griechische
10 Dichter Homer im Jahr 730 vor Christus das Ende der
11 Stadt Troja.

2 ?

12 Wer kennt Homers Helden nicht: Odysseus, die schöne
13 Helena, Paris ...? Die Geschichte vom Ende Trojas fasziniert
14 auch heute noch die Menschen. Der Film „Troja" mit Brad
15 Pitt lockte Tausende Zuschauerinnen und Zuschauer in
16 die Kinos. Doch hat es Troja wirklich gegeben? Hat der
17 Trojanische Krieg wirklich stattgefunden? Und wenn ja:
18 Wo war diese wunderbare Stadt?

3 ?

19 Heinrich Schliemann ist ein deutscher Kaufmann. Er macht gute
20 Geschäfte in den USA und in Russland und verdient sehr viel Geld.
21 Doch die Wissenschaft interessiert ihn viel mehr. Mit fünfundvierzig
22 Jahren fängt Schliemann an, in Paris Sprachen und Philosophie
23 zu studieren. Er liest Homers Epen in der Originalsprache und
24 beschließt, Troja zu finden. Denn er ist sicher: Troja hat es wirklich
25 gegeben. Heinrich Schliemann fährt in die Türkei und beginnt, nach
26 der antiken Stadt zu suchen. Und Schliemann hat Glück. In Hisarlik
27 findet er einen hohen Hügel. Er beginnt dort zu
28 graben ✿ und bald ist klar: Homers Troja ist nicht
29 erfunden. Schliemann entdeckt die Stadtmauern
30 und später auch die Schatzkammer des trojanischen
31 Königs Priamos. Die Beschreibungen in Homers
32 Erzählung passen genau zu seinen Entdeckungen.

✿ graben

4 ?

33 Auch heute noch, fast 150 Jahre später, arbeiten Archäologen
34 in Troja. Natürlich suchen sie nicht das Pferd des Odysseus. Sie
35 möchten wissen, wie die Menschen damals gelebt haben. Ob
36 es den Trojanischen Krieg wirklich gegeben hat, das wissen die
37 Forscher aber auch heute noch nicht ganz genau.

c Lies den Text noch einmal und beantworte die Fragen.

1 Wie konnten die Griechen den Krieg um Troja gewinnen?
2 Was war Heinrich Schliemann von Beruf? Welche Ausbildung hat er gemacht?
3 Wo hat Schliemann die Stadt Troja gesucht?
4 Was hat Schliemann dort gefunden?
5 Warum sind heute noch Archäologen in Hisarlik?
6 Was weiß man heute über den Trojanischen Krieg?

d Alles nur erfunden – oder vielleicht wirklich passiert? Sprecht auch in eurer Muttersprache.

- Romeo und Julia
- James Bond
- Titanic
- Harry Potter
- Dschingis Khan
- Rotkäppchen
- Aladin und die Wunderlampe
- Pippi Langstrumpf
- King Kong
- Das Monster von Loch Ness
- ...

Nein, das ist erfunden.

Ich glaube, die Geschichte von Romeo und Julia ist wirklich passiert.

Ja, das glaube ich auch.

B1 Wörter durch den Kontext verstehen

> **99** Am Strand steht ein **riesiges** Pferd aus Holz.

a Lies die Sätze. Welche Wortart ist das unterstrichene Wort? Ordne zu.

1 Schließlich <u>schlafen</u> ❓ alle Trojaner. Da klettern die Griechen aus dem Pferd.

2 Am <u>Strand</u> ❓ steht ein riesiges Pferd aus Holz.

3 Er liest Homers Epen <u>in</u> ❓ der Originalsprache.

4 Heinrich Schliemann ist ein <u>deutscher</u> ❓ Kaufmann.

5 Er beginnt <u>dort</u> **D** zu graben.

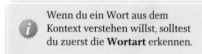

A Nomen   **B** Verb   **C** Adjektiv
D ~~Adverb~~   **E** Präposition

> **i** Wenn du ein Wort aus dem Kontext verstehen willst, solltest du zuerst die **Wortart** erkennen.

b Such die Wörter im Text in A2b und finde die Wortarten. Kannst du die Bedeutung der Wörter erraten? Übersetze die Wörter in deine Muttersprache.

	1	2	3	4	5	6	7	8
	riesiges	zumindest	Soldaten	Kameraden	fasziniert	stattgefunden	beschließt	Hügel
Wortart	....	*Adverb*	....	....	....	....	....	....
Übersetzung	....	....	....	....	....	....	....	....

B2 Wörter durch Wortbildung verstehen

a Nomen mit *-er, -in* und *-ung*. Finde im Text in A2b Nomen, die die folgende Bedeutung haben:

1 ein Mann, der zuschaut: *Zuschauer*
2 eine Frau, die zuschaut: ....
3 ein Text, der etwas beschreibt: ....
4 etwas, das erzählt wird: ....
5 etwas, das entdeckt wird: ....
6 eine Person, die nach wissenschaftlichen Informationen forscht: ....

> **i** Nomen mit **-er** oder **-in** = Person
> Nomen mit **-ung** = Sache

b Bilde Nomen mit *-er, -in* oder *-ung*.

1 fahren (Person): *der Fahrer, die Fahrerin*
2 Musik (Person): ....
3 arbeiten (Person): ....
4 anfangen (Person) ⚠ a → ä: ....
5 bestellen (Sache): ....
6 ausgraben (Sache): ....
7 erfahren (Sache): ....
8 sammeln (Sache und Person) ⚠ e → e: ....
9 prüfen (Sache und Person): ....
10 zerstören (Sache): ....

c Lies die Sätze und ergänze Nomen aus **b**.

1 Nach der <u>Zerstörung</u> Trojas beginnt die lange Fahrt des Odysseus.
2 Die .... in Latein und Griechisch an der Pariser Universität machen Schliemann keine Probleme.
3 Schliemanns .... in Hisarlik sind eine Sensation.
4 Die .... in der Türkei helfen Schliemann auch bei anderen Projekten.
5 Das Museum in Berlin hat eine große .... mit Gegenständen aus Hisarlik.

d Zusammengesetzte Wörter. Finde folgende Wörter im Text in A2b.

1 ein Pferd aus Holz: *Holzpferd*

2 die Tore der Stadt: ....

3 die Sprache des originalen Textes: ....

4 die Mauern der Stadt: ....

5 eine Kammer mit einem Schatz : ....

B3 „Atlantis" und „El Dorado"

a Lies die beiden Texte <u>schnell</u> und ignoriere die hell markierten (= unbekannten) Wörter. Beantworte dann die Fragen.

1 Was war Atlantis? Wo war Atlantis? Hat es Atlantis wirklich gegeben?
2 Wer war El Dorado? Wer war Franzisko Orellano? Hat es El Dorado und sein Land wirklich gegeben?
3 Was haben die Geschichten von Troja, Atlantis und El Dorado gemeinsam?

Ist Santorin das versunkene „Atlantis"?

Archäologen entdecken „Terra Preta"

Text A
Platos Atlantis

Im vierten Jahrhundert vor Christus beschreibt Plato, ein griechischer Philosoph, die Stadt Atlantis. Atlantis, so Plato, war eine ringförmig angelegte Stadt mit breiten Wasserwegen. In der Nähe der Stadt weideten Elefanten. Im Jahr 9000 vor Christus wurde die Stadt laut Plato bei einer Katastrophe zerstört. Platos detailgenaue Beschreibung hat viele Wissenschaftler dazu gebracht, Atlantis zu suchen. Einige vermuten die Stadt am Meeresgrund in der Nähe von Malta. Einige Forscher glauben, dass die griechische Insel Santorin das versunkene Atlantis ist. Sogar vor den Bahamas und vor Kuba wird Atlantis vermutet. Doch Beweise fehlen. Bis heute ist die Suche nach Platos idealer Stadt erfolglos. Vielleicht war sie auch nur eine Erfindung Platos.

Text B
Ein König ganz in Gold

Hat es El Dorado wirklich gegeben? Viele Jahrzehnte lang suchten spanische Eroberer das Land des „goldenen Königs" in Südamerika. Im Jahr 1540 glaubte der Konquistador Francisco de Orellana, dass er El Dorado gefunden hat. In seinem Tagebuch hat er reiche, wunderbare Städte im Amazonasgebiet beschrieben. Spanische Schiffe, die einige Jahre später El Dorado besuchen wollten, konnten dort allerdings keine Städte und Straßen finden, sondern nur Urwald. Waren Orellanas Geschichten falsch, war er ein Lügner? Heute, fast 500 Jahre später, suchen Archäologen im Amazonasgebiet nach Orellanas El Dorado, und sie haben Erfolg: Sie finden die Überreste von Straßen, Städten und Dörfern. Sie finden kein Gold, aber etwas viel Wertvolleres: Terra Preta. Diese fruchtbare „schwarze Erde" des Amazonas war für sie wertvoller als Gold. Und die Wissenschaftler meinen, sie könnte auch heute noch helfen, den Regenwald zu retten.

b Partnerarbeit. Lies noch einmal Text A, deine Partnerin / dein Partner liest Text B. Welche markierten Wörter könnt ihr verstehen?

Versucht, einige markierte Wörter aus dem Kontext oder durch Wortbildung zu verstehen. Erklärt eurer Partnerin / eurem Partner die Wörter.

C1 Entdecker aus Europa

"Er **beschließt**, Troja **zu finden**.

a) Was stimmt? Ordne die Satzhälften zu.

1 Heinrich Schliemann hat keine Lust, **?**
2 Deshalb ist es für ihn einfach, **?**
3 Mit fünfundvierzig Jahren beginnt er, **?**
4 Heinrich Schliemann versucht, **?**

> **A** in der Türkei die antike Stadt Troja zu finden.
> **B** sein ganzes Leben Kaufmann zu sein.
> **C** seinen Beruf als Kaufmann aufzugeben.
> **D** in Paris Sprachen und Philosophie zu studieren.

b) Was haben die Entdecker vorgehabt, versprochen, versucht …? Ordne zu und finde die Expeditionen auf der Karte.

> vorhaben ≈ planen
> versprechen ≈ sagen, dass man etwas sicher macht
> versuchen ≈ ausprobieren

Er versucht, die Stadt ᴬᵏᵗⁱᵒⁿ **zu** finden.
Es ist wichtig, die Arbeit in Hisarlik ᴬᵏᵗⁱᵒⁿ **fortzu**setzen.
⚠ fort**zu**setzen, auf**zu**geben, vor**zu**bereiten …

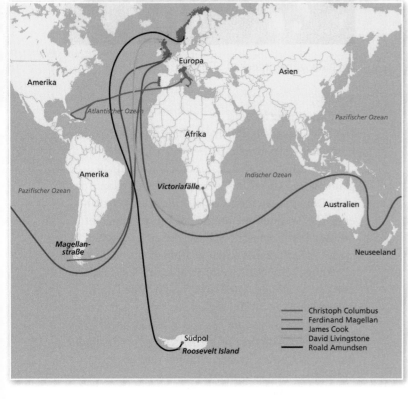

1 Der Italiener Christoph Columbus verspricht dem spanischen König, **?**
2 Der Portugiese Ferdinand Magellan hat vor, **?**
3 Im Jahr 1769 beginnt der Brite James Cook, **?**
4 Im Jahr 1854 versucht der Schotte David Livingstone, **?**
5 Im Jahr 1911 schafft es der Norweger Roald Amundsen als erster, **?**

A eine Expedition in den Pazifik vorzubereiten. Ein Jahr später entdeckt er Australien und Neuseeland.
B den Südpol zu erreichen.
C eine Durchfahrt vom Atlantik zum Pazifik zu finden. 1520 entdeckt er die Magellanstraße.
D eine Seestraße nach Indien zu finden. 1492 entdeckt er Amerika.
E das südliche Afrika zu durchqueren. Dabei entdeckt er die Victoriafälle.

c) Lies die Satzteile links und rechts im Kasten. Schreib fünf Sätze, die zu dir passen.

Ich habe beschlossen, an einem Marathon teilzunehmen.

Es macht Spaß,
Ich habe Lust,
Es muss wunderbar/langweilig/… sein,
Ich habe vor,
Es ist schön/schrecklich/unmöglich/wichtig …,
Ich habe beschlossen,

Aktion
zum Mond fliegen
zu Fuß zum Nordpol gehen
als Archäologe arbeiten
den Amazonas erforschen
an einem Marathon teilnehmen
ein ganzes Jahr alleine wegfahren …

d) Partnerarbeit. Lest eure Sätze vor und sucht Gemeinsamkeiten. Berichtet in der Klasse.

D1 Das Spiegelbild, Teil 4: Die Werkstatt

a Welches Diagramm beschreibt die Situation zwischen Mia, Lena, Tim und Niklas? Erkläre, warum.

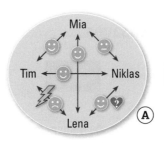

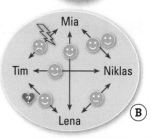

b Sieh die Fotos an. Was passiert wohl in der Geschichte? Was meinst du?

Teil 4

● Roboter

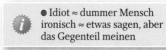

> Ich denke, … ist das erste Foto. Mia, Lena und Niklas besuchen …

c Hör zu. Sind deine Vermutungen aus b richtig? 🔊 3 20

d Hör noch einmal. Was passiert? Ordne ein.

1 Mia, Lena und Niklas besuchen Tim. Mia findet Tims Keller dunkel und ein bisschen unheimlich.

2 ?

3 Mia möchte, dass Tim ihren Computer repariert.

4 ?

5 Tim zeigt Mia, Lena und Niklas seinen Roboter.

6 ?

7 Mia passt nicht auf und ihre Cola fällt um.

8 ?

9 Mia will die Cola abwischen und die Bauteile bezahlen, doch Tim ist trotzdem wütend.

10 ?

A Mia und Niklas verlassen Tims Werkstatt. Lena bleibt bei Tim.

B Mia, Lena und Niklas setzen sich. Tim bietet seinen Gästen Getränke an.

C Tim verspricht, sich den Computer anzusehen.

D Tim schenkt Lena einen Roboter.

E Tims Roboter ist kaputt, Tim ist wütend.

e Partnerarbeit. Hört das Ende der Geschichte noch einmal. Lest die Fragen. Welche Antworten passen am besten? 🔊 3 21

1 Tim nennt Niklas „Idiot". Warum sagt Niklas „Danke gleichfalls"?
Niklas ist   **A** ？ freundlich.   **B** ？ ironisch.   **C** ？ zufrieden.

> ● Idiot ≈ dummer Mensch
> ironisch ≈ etwas sagen, aber das Gegenteil meinen

2 Warum sagt Mia „Ich komme mit"?
Mia   **A** ？ will mit Niklas sprechen.   **B** ？ ist wütend auf Tim.   **C** ？ hat einen Termin.

3 Warum sagt Lena „Darf ich noch hierbleiben"?
Lena   **A** ？ mag Tim.   **B** ？ will den Roboter zurückgeben.   **C** ？ ist noch durstig.

f Partnerarbeit. Zeichnet Beziehungsdiagramme mit Mia, Lena, Niklas und Tim drei Wochen später und ein Jahr später. Erklärt eure Diagramme in der Klasse.

> Wir glauben, dass Lena …

E1   Geben, nehmen und sagen ...

  Bring ihn mir vorbei.

a Mia, Lena, Niklas oder Tim? Ergänze die Namen und schreib Sätze wie im Beispiel.

1   ⸻ schenkt ⸻ einen Roboter.

2   ⸻ zeigt ⸻, ⸻ und ⸻ den Roboter.

3   ⸻ will ⸻ die Elektronikbausteine bezahlen.

4   ⸻ soll ⸻ den kaputten Computer vorbeibringen.

1 Tim schenkt Lena einen Roboter. Er schenkt ihr einen Roboter. Er schenkt ihn Lena. Er schenkt ihn ihr.

Verben mit Dativ und Akkusativ

Niklas **schenkt** | Mia | einen Kugelschreiber |.

Er schenkt Wem? Person = Dativ | ihr | Was? Sache = Akkusativ | einen Kugelschreiber |.

Er schenkt | ihn | Mia |. ⚠ Pronomen vor Nomen

Er schenkt | ihn | ihr |. ⚠ Akkusativpronomen vor Dativpronomen

---

b Hör zu. Was sind die Probleme?   🔊 **3** 22
Welches Problem passt zu welcher Situation?

A Die Briefmarken sind aus.
B Wer holt die Cola?
C Jemand hat Grippe.
D Die Milch ist sauer und der Zucker ist in der Küche.

Situation 1	?
Situation 2	?
Situation 3	?
Situation 4	?

ℹ Grippe ≈ Krankheit mit Fieber und Kopfschmerzen
sauer ≠ süß, *hier:* schlecht

---

c Hör noch einmal, ergänze die Nomen aus dem Kasten und finde die passenden Pronomen.

⊗ Cola ⊗ Tablette ⊗ Zucker ⊗ Briefmarken ⊗

Situation 1
☉ Dort drüben steht meine *Cola*. Gib *sie* ⸻, bitte.
◆ Hol ⸻ ⸻ doch selbst.

Situation 2
☉ Lena ist krank. Hier ist eine ⸻.
   Bring ⸻ ⸻ bitte.
◆ Natürlich, ich bringe ⸻ zu ⸻ sofort.

Situation 3
☉ Der ⸻ ist noch in der Küche.
   Ich bringe ⸻ ⸻ sofort.
◆ Danke, ich kann ⸻ ⸻ selbst holen.

Situation 4
☉ Ich brauche dringend ⸻. Hol ⸻ ⸻ bitte.
◆ Marina soll ⸻ ⸻ holen.

---

d Partnerarbeit. Schreibt möglichst viele Zettel mit persönlichen Situationen wie im Beispiel. Tauscht die Zettel. Eure Partnerin / Euer Partner liest eure Zettel und ergänzt Punkt 4. Lest eure Vermutungen vor und erzählt, wie die Situation wirklich war.

⊗ schenken ⊗ erzählen ⊗ kaufen ⊗ ausleihen ⊗
⊗ erklären ⊗ zeigen ⊗ wegnehmen ⊗

schenken
1 *Wer? ich*
2 *Wem? meiner Schwester*
3 *Was? eine CD*
----
4 *Warum? Geburtstag*

wegnehmen
1 *Wer? meine Mutter*
2 *Wem? meiner Schwester*
3 *Was? Handy*
----
4 *Warum? zu viel telefonieren*

Du hast deiner Schwester eine CD geschenkt. Ich glaube, sie hatte Geburtstag.

Nein, sie ...

F1 Kommen die Götter aus dem Weltraum?

a Partnerarbeit. Lest den Text über Erich von Däniken. Partner A liest den Text auf dieser Seite.
Partner B liest den Text auf Seite 141. Ergänzt die fehlenden Informationen. Fragt und antwortet euch gegenseitig.

Wissenschaft oder Unterhaltung?

1 In der Nazca Wüste in Peru gibt es
2 **1** *Was?*. Nur aus großer Höhe kann man die
3 Figuren sehen. Deshalb hat man sie auch
4 erst im Jahr 1920 entdeckt. Damals sind
5 die ersten Flugzeuge über die Wüste
6 geflogen. Die Figuren sind **3** *Wie alt?* alt.
7 Die Forscher wissen bis heute nicht genau, warum Menschen
8 vor 3000 Jahren diese Figuren in den Boden gegraben haben.
9 Der Schweizer Buchautor Erich von Däniken hat eine originelle
10 Theorie: „Außerirdische brauchen diese Markierungen für die
11 Landung mit ihren UFOs."
12 Erich von Däniken glaubt, **5** *Was?*. Sie haben den Menschen
13 damals geholfen, ihre Städte und Tempel zu bauen. „Stone-
14 henge oder die Pyramiden von Gizeh haben Außerirdische
15 gebaut. Die Menschen vor 5000 Jahren konnten das noch
16 nicht", meint Erich von Däniken. **7** *Wo?* erklärt der Schweizer
17 seine Theorien. Sind seine Ideen wissenschaftliche Forschung
18 oder sind sie nur gute Unterhaltung? **9** *Wer?* gibt wohl selbst
19 die Antwort: Seine Vorträge beendet er oft mit dem Satz:
20 „Meine Damen und Herren, glauben Sie mir kein Wort!"

b Hört den Text und vergleicht. 🔊 3 23

Was gibt es in der Nazca-Wüste in Peru?

1 *riesige Figuren auf dem Felsboden.*
3 ....
5 ....
7 ....
9 ....

F2 Forscher und Entdecker

a Lies den Steckbrief in der Schülerzeitung. Was wollte Thor Heyerdahl mit seiner Expedition zeigen?

Thor Heyerdahl und das Floß „Kon-Tiki"

Expeditionen: Thor Heyerdahl hat viele Expeditionen gemacht, zum Beispiel nach Polynesien, zu den Galapagos-Inseln, auf die Osterinseln, auf die Malediven und nach Peru.
Wichtigste Expedition: Die berühmteste Expedition war die Kon-Tiki-Expedition im Jahr 1947. Heyerdahl wollte mit fünf anderen Forschern zeigen, dass man mit einem ganz einfachen Floß (12 Meter lang und fünf Meter breit) von Südamerika nach Polynesien segeln kann. So konnte er beweisen, dass die Menschen in Polynesien vor vielen Jahren aus Südamerika kamen. Nach 101 Tagen und fast 7000 Kilometern erreichten Heyerdahl und fünf andere Forscher Polynesien.
Bücher und Filme: Das Buch „Kon-Tiki" ist ein Bestseller. Der Film über die Expedition hat im Jahr 1951 einen Oscar gewonnen.

* 1914 Norwegen
† 2002 Italien

b Sammle Informationen (Lexikon, Internet ...) über eine Forscherin / Entdeckerin oder einen Forscher / Entdecker.
Schreib einen Steckbrief für die Schülerzeitung wie in a.

⊙ Ann Bancroft (Polarforscherin) ⊙
⊙ Neil Armstrong (Mond) ⊙ John Byron (Südsee) ⊙
⊙ Heinrich Harrer (Tibet) ⊙
⊙ Bertrand Piccard (Ballonreisender) ⊙
⊙ Catalina de Erauso (Südamerika) ⊙ ... ⊙

1 Welche Expeditionen haben die Forscher in ihrem Leben gemacht?
2 Was war die wichtigste Expedition?
3 Was wollten sie zeigen oder beweisen?
4 War die Expedition erfolgreich?

Rosi Rot und Wolfi

Landschaften in den deutschsprachigen Ländern

LK1 Fakten

a Partnerarbeit. Seht die Karte an. Beschreibt die Landschaften der deutschsprachigen Länder mit den Wörtern im Kasten.

Im Norden Deutschlands gibt es …
Im Süden der Schweiz …

die Landschaft an der Ostsee: wunderschöne, flache Sandstrände

- Insel (-n) • Meer (-e) • Fluss (¨e)
- Wald (¨er) • See (-n) • Gebirge • Berg (-e)
- Feld (-er) • Wiese (-n) • Stadt (¨e)
- Hafen (¨en) • Strand (¨e) • Dorf (¨er) (≠ Stadt)

b Findet die Namen der Stadt, der Flüsse, Seen und Gebirge (1-11) auf der Karte. Hört dann zu und vergleicht. 🔊 ③ 24

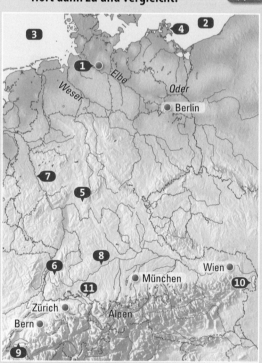

Donau	?	Ostsee	?
Rhein	?	Bodensee	?
Spessart	?	Genfer See	?
Schwarzwald	?	Neusiedler See	?
Rügen	?	Hamburg	?
Nordsee	?		

LK2 Beispiele

a Filmschauplätze. Lies und hör den Text. Welcher James-Bond-Film spielt in welcher Region? Mach Notizen und such die Filmschauplätze auf der Karte innen auf der Umschlagseite. 🔊 ③ 25

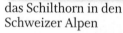

Film	Schauplatz
Goldfinger	Furkapass / Schweiz
……	……

das Schilthorn in den Schweizer Alpen

die Verzasca-Staumauer am Lago di Vogorno

der Furkapass in der Schweiz

die Opernfestspiele in Bregenz am Bodensee

c Partnerarbeit. Frag deinen Partner.

Wie heißt der See, der …liegt?
Wie heißt der Fluss, der …durch … / ins Schwarze Meer / in die Nordsee / Ostsee fließt?
Wie heißt die Stadt, die …liegt?
Wie heißt das Gebirge, das …
Wie heißt die Region, die …liegt.

d Macht auch ein Quiz mit eurem Heimatland.

„Mein Name ist Bond, James Bond ..."

James-Bond-Filme spielen meist an fernen, exotischen Schauplätzen. Das macht sie für viele Zuschauer interessant. Doch nicht immer arbeitet 007 in der Karibik, in Afrika oder in Asien. In manchen Filmen schickt der britische Geheimdienst MI6 seinen besten Mann auch nach Deutschland, Österreich oder in die Schweiz.

Schon im Jahr 1964 trifft James Bond (Sean Connery) seinen Gegner Goldfinger auf dem wildromantischen Furkapass in der Schweiz. Fünf Jahre später ist der britische Agent wieder in der Schweiz unterwegs: Wichtige Szenen aus dem Film „Im Geheimdienst ihrer Majestät" („On Her Majesty's Secret Service") spielen auf dem Schilthorn in den Schweizer Alpen. Im Jahr 1995 springt Pierce Brosnan als James Bond von einer 220 Meter

hohen Staumauer. Der Originalschauplatz dieser Szene aus dem Film „GoldenEye" liegt am Lago di Vogorno. Dort kann man die Verzasca-Staumauer aus dem Bond-Film besichtigen und sogar Bonds Bungee-Sprung selbst ausprobieren. Im Film „Der Morgen stirbt nie" („Tomorrow Never Dies") aus dem Jahr 1997 wohnt Pierce Brosnan einige Tage im Luxushotel „Atlantic" in Hamburg. Vierzehn Jahre zuvor war Deutschland Schauplatz für den Bond-Film „Octopussy". In Karl-Marx-Stadt (= Chemnitz) hatte Roger Moore die Aufgabe, die Welt vor den finsteren Plänen des Generals Orlov zu retten. Auch in Österreich ist 007 immer wieder zu Gast, das letzte Mal im Jahr 2008. Daniel Craig besuchte als James Bond die Opernfestspiele in Bregenz am Bodensee. Der deutsche Titel des Films: „Ein Quantum Trost" („Quantum of Solace").

b Lies die Reiseprospekte und finde die Reiseziele auf der Karte innen auf der Umschlagseite. Welche Angebote interessieren dich? Was würdest du gerne machen?

> Ich würde gerne nach ... fahren.

> Ich würde gerne ... sehen.

Lieben Sie das Kino, lieben Sie den Film?
Wir führen Sie zu den schönsten Filmschauplätzen in Deutschland, Österreich und der Schweiz.

Kloster Ebersbach

Wachau

Eiger-Nordwand

Deutschland
Machen Sie mit uns eine Reise ins Mittelalter. Verbringen Sie einen Tag im Kloster Ebersbach im Rheingau. Alle Innenaufnahmen für den Film „Der Name der Rose" hat man hier im Kloster Eberbach gedreht.

Österreich
Der schönste Teil des Donauradweges führt durch die Wachau, eine Region südwestlich von Wien. In den hübschen kleinen Dörfern und Weinbergen spielen wichtige Szenen aus dem Film „Geschichten aus dem Wienerwald". Unsere Radtour führt Sie zu den Originalschauplätzen.

Schweiz
Die Eiger-Nordwand in der Schweiz wird auch „Mordwand" genannt. Sie ist wohl die gefährlichste Bergroute in den Alpen. Die dramatische Besteigung des Berges im Jahr 1936 wird im Kinofilm „Nordwand" gezeigt. Touristen können heute mit einer Zahnradbahn auf den Eiger fahren. Dabei können sie die Bergsteiger in der Wand ganz aus der Nähe sehen.

LK3 Und jetzt du!

Partnerarbeit. Filmschauplätze in eurem Heimatland. Beantwortet die Fragen.

1 Gibt es in eurem Heimatland bekannte Filmschauplätze? Welche Filme hat man dort gedreht?
2 Warst du einmal an einem bekannten Filmschauplatz? Welchen Film hat man dort gedreht?
3 Denk an deine Lieblingsfilme. Wo spielen diese Filme? Beschreibe wichtige Filmschauplätze aus diesen Filmen.
4 Beschreibe wichtige Landschaften in deinem Heimatland. Welche Filme könnte man dort drehen?

Projekt

Eine Gruppenpräsentation: Erfindungen

P1 Sammelt Ideen und Informationen.

(a) Gruppenarbeit. Wählt ein Thema. Sucht weitere Erfindungen zu eurem Thema.

Essen & Trinken
(Dampfdruck-Kochtopf, Herd, Mikrowelle ...)

Freizeit & Sport
(MP3-Player, Fernseher, Radio, Kamera, Skier, Rollschuhe ...)

Verkehr
(Rad, Fahrrad, Auto, Flugzeug, Zug ...)

Kleidung & Kosmetik
(Waschmaschine, Bügeleisen, Shampoo ...)

Gesundheit
(Brille, Fieberthermometer, Pflaster ...)

Schule & Büro
(Kugelschreiber, Schere, Papier, Computer ...)

Kommunikationsmittel
(Internet, Telefon, Handy ...)

(b) Wählt eine Erfindung für eure Präsentation aus. Lest die Fragen und sammelt Argumente wie im Beispiel. Sammelt auch passende Bilder und Fotos zu den Argumenten.

1 Warum ist eure Erfindung wichtig und nützlich?
2 Warum ist sie nützlicher als andere Erfindungen?
3 Was konnte man vor eurer Erfindung noch nicht tun?

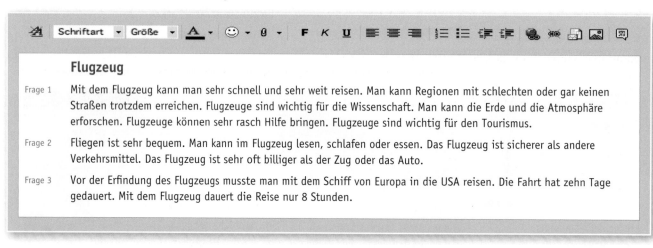

Flugzeug

Frage 1 Mit dem Flugzeug kann man sehr schnell und sehr weit reisen. Man kann Regionen mit schlechten oder gar keinen Straßen trotzdem erreichen. Flugzeuge sind wichtig für die Wissenschaft. Man kann die Erde und die Atmosphäre erforschen. Flugzeuge können sehr rasch Hilfe bringen. Flugzeuge sind wichtig für den Tourismus.

Frage 2 Fliegen ist sehr bequem. Man kann im Flugzeug lesen, schlafen oder essen. Das Flugzeug ist sicherer als andere Verkehrsmittel. Das Flugzeug ist sehr oft billiger als der Zug oder das Auto.

Frage 3 Vor der Erfindung des Flugzeugs musste man mit dem Schiff von Europa in die USA reisen. Die Fahrt hat zehn Tage gedauert. Mit dem Flugzeug dauert die Reise nur 8 Stunden.

(c) Lest die Fragen und sammelt in Büchern oder im Internet Informationen über eure Erfindung. Sucht auch Bilder für eure Präsentation. Zeigt eure Fotos dann bei der Präsentation.

1 Wer war der Erfinder oder die Erfinderin?
2 Wann hat er oder sie die Erfindung erfunden?
3 Hat es vorher schon ähnliche Ideen gegeben?
4 War die Erfindung sofort erfolgreich?

Im Jahr 1895 präsentierte der Deutsche Otto Lilienthal seine Fluggeräte.

Im Jahr 1903 flogen die Brüder Wright mit ihrem Motorflugzeug erstmals 280 Meter weit.

1929 flog Charles Lindbergh mit der „Spirit of St. Louis" von den USA über den Atlantik nach Europa.

P2 Präsentiert eure Ergebnisse.

a) Plant nun in der Gruppe eure Präsentation. Sie soll mindestens fünf Minuten dauern und jeder soll etwas sagen. Macht die Präsentation für eure Mitschüler möglichst interessant. Hier sind einige Ideen.

Teil 1 Was ist eure Erfindung?

Was will ich machen?	Wie sage ich es?
Zeigt nur einen Teil eines Fotos mit eurer Erfindung oder zeigt ein Foto ganz kurz und lasst eure Mitschüler raten, was eure Erfindung ist.	*Wir zeigen euch ganz kurz ein Foto / den Teil eines Fotos.* *Ratet doch einmal, was unsere Erfindung ist.*
Beginnt eure Präsentation mit einem kleinen Rätsel und lasst eure Mitschüler raten, was eure Erfindung ist.	*Wir geben euch jetzt ein paar Informationen über unsere Erfindung.* *Ratet doch einmal, was unsere Erfindung ist.* *Wir benutzen diese Erfindung jeden Tag / einmal im Monat / wenn wir …* *Die Erfindung ist größer / kleiner / schwerer / … als … / so groß / klein / … wie …* *Die Erfindung braucht man, wenn man … / beim …* *Die Erfindung ist aus …* *Diese Erfindung haben wir alle zu Hause …* *Man kann die Erfindung …* *Unsere Erfindung hat … Buchstaben. Der erste Buchstabe ist ein …*

Teil 2 Welche Informationen über eure Erfindung habt ihr gefunden?

Was will ich machen?	Wie sage ich es?
Präsentiert eure Informationen, Fotos, Zeichnungen und Bilder.	*Hier seht ihr den Erfinder / die Erfinderin.* *Sein / Ihr Name ist …* *Sie / er war …* *Im Jahr … hat er / sie …*

Teil 3 Warum ist eure Erfindung besonders nützlich?

Was will ich machen?	Wie sage ich es?
Erzählt Geschichten, die zeigen, wie nützlich eure Erfindung ist. Zeigt auch Bilder oder Fotos.	*Wir haben viele Geschichten und Argumente, die zeigen, dass unsere Erfindung besonders nützlich ist:* *Hier seht ihr ein Foto.* *Unsere Erfindung ist nützlicher als andere Erfindungen, weil …* *Vor unserer Erfindung konnte man nicht … / musste man …*

Teil 4 Warum ist eure Erfindung für euch persönlich wichtig?

Was will ich machen?	Wie sage ich es?
Jede/r erklärt, warum die Erfindung für sie/ihn persönlich wichtig ist.	*Ich bin froh, dass es diese Erfindung gibt, weil …* *Ich benutze diese Erfindung jeden Tag, wenn ich …*

b) Entscheidet, wer in der Gruppe welchen Teil präsentiert. Ihr könnt eure Stichpunkte auf Karten schreiben. Übt dann eure Präsentation.

Wir möchten euch Teile eines Fotos zeigen. …
Ratet …, was … Erfindung …

Wir wissen nicht genau, wer das Flugzeug erfunden …
Hier … Otto Lilienthal … Er zeigt … Fluggeräte.
1895 … Deutschland

Grammatik

Finde die Satzzitate ⬭ in den Lektionen 21–24.

G1 Verb

a Konjunktiv II: Wünsche

Ich **würde** so gern mitspielen.

	haben	**sein**	**andere Verben**	
ich	hätte	wäre	würde ...	sehen
du	hättest	**wärest**	würdest ...	sehen
er, es, sie, man	hätte	wäre	würde ...	sehen
wir	hätten	wären	würden ...	sehen
ihr	hättet	wäret	würdet ...	sehen
sie, Sie	hätten	wären	würden ...	sehen

Ich **hätte** jetzt lieber eine heiße Schokolade.

Den Film **würde** ich **gern sehen**.

→ S. 96

b Passiv Präsens

werden	
ich	werde
du	**wirst**
er, es, sie, man	wird
...	

Der Koffer **wird gepackt**. Peter **packt** den Koffer.

werden + Partizip II

→ S. 104

c Verben mit Dativ und Akkusativ

Sabine **schenkt** ihrem Bruder Klaus einen Schal .

Sie schenkt ^{Wem? Person = Dativ} ihm ^{Was? Sache = Akkusativ} einen Schal .

Sie schenkt ihn ihrem Bruder Klaus . ⚠ Pronomen vor Nomen

Sie schenkt ihn ihm . ⚠ Akkusativpronomen vor Dativpronomen

Ich brauche dringend Briefmarken. Hol **sie mir** bitte.

Dativ **und** Akkusativ nach:

1 schenken, leihen, schicken ... = Verben mit der Bedeutung *geben* bzw. *nehmen*

2 erzählen, zeigen, erklären ... = Verben mit der Bedeutung *sagen*

→ S. 120

G2 Nomen und Adjektiv

a Adjektivendungen Singular

Der neue James Bond: **ein** fantastisch**es** Filmabenteuer!

Ein lustig**er** Film für **die** ganze Familie.

der, das, die, eine	toll**e**	
den, dem, der (Dativ ●), einer, einen, einem	toll**en**	● Film
		● Kino
● ein	toll**er**	● Schauspielerin
● ein	toll**es**	

der, das, die, eine → -e
den, dem, ● der, einer, einen, einem → -en
ein → -er ●
→ -es ●

→ S. 94

b) Adjektivendungen Plural

James Bond? Nein, danke. Ich mag **keine** wild**en** Actionfilme, ich sehe lieber romantisch**e** Liebesfilme.

> mit Artikelwort → **-en**
> ohne Artikelwort (Dativ) → **-en**
> ohne Artikelwort (Nominativ + Akkusativ) → **-e**

mit Artikelwort (die, meine, keine, den, meinen, keinen ...)	dumm**en**	○ Komödien
ohne Artikelwort – Dativ	von gut**en**	○ Regisseuren
ohne Artikelwort – Nominativ und Akkusativ	gut**e**	○ Geschichten

> *Ich sehe braune Tische, rote Stühle ...*

→ S.94

c) Genitiv

Nomen	Genitiv	
	definiter Artikel	**indefiniter Artikel**
die Erfindung ^{welche Erfindung?}	**des** ● Kaugummi**s**	**eines** ● Künstler**s**
	des ● Flugzeug**s**	**eines** ● Genie**s**
	der ● Kamera	**einer** ● Künstlerin
	der ○ Zündhölzer	m**einer** ○ Freunde

> Genitiv → **-es** (Nomen + **-s**)
> **-es** (Nomen + **-s**)
> **-er**
> **-er**

> *die Erfindung **der** Kamera*

→ S.108

G3 Satz

a) Relativsatz

Ein Kugelschreiber. ^{Was für ein Kugelschreiber?} Der Kugelschreiber übersetzt Texte.

Ein ● **Kugelschreiber,** ^{Was für ein Kugelschreiber?} ● **der** Texte **übersetzt**.

Ein ● **Messer,** ● **das** nie stumpf **wird**.

Eine ● **Einkaufstüte,** ● **die** nach drei Monaten zu Wasser **wird**.

○ **Autos,** ○ **die** unter Wasser **fahren**.

> *Ein Bleistift, der an beiden Enden einen Radiergummi **hat**.*

→ S.108

b) Indirekter Fragesatz

Mark fragt, **wann** die Party **ist**.

Er will wissen, **ob** Sarah auch **kommt**.

> *Wann ist die Party? Kommt Sarah auch?*

> *Christine hat mich gefragt, **wie alt** Monas Freund **ist**.*

→ S.112

c) Infinitivsatz

Es ist wichtig, sich auf den Test gut ^{Aktion} vor**zu**bereiten.

Doch **ich habe keine Lust**, noch einmal alles ^{Aktion} **zu** wiederholen.

⚠️ fort**zu**setzen, auf**zu**geben, vor**zu**bereiten ...

zu + Infinitiv nach:
beginnen, Lust haben, versuchen, anfangen, helfen ... → Aktion
es ist einfach / wichtig / schwierig / lustig ... → Aktion

> *Es muss wunderbar sein, ein ganzes Jahr alleine weg**zu**fahren.*

→ S.118

Grammatik-Wiederholung

GWH 1 Verb

a Konjugation Präsens

Bekommst du Taschengeld?

	bekommen
ich	bekomme
du	bekommst
er, es, sie, man	bekommt
wir	bekommen
ihr	bekommt
sie, Sie	bekommen

besondere Verben (→ S.130)

Negation

nicht: Der Kugelschreiber schreibt nicht.

kein: Ich habe keine Briefmarke. (→ S.28)

(→ S.7)

b Konjugation Präsens Modalverben

Das geht nicht. Du musst zu Hause bleiben.

	müssen	können	wollen	dürfen	mögen
ich	muss	kann	will	darf	mag
du	musst	kannst	willst	darfst	magst
er, es, sie, man	muss	kann	will	darf	mag
wir	müssen	können	wollen	dürfen	mögen
ihr	müsst	könnt	wollt	dürft	mögt
sie, Sie	müssen	können	wollen	dürfen	mögen

(→ S.31)

c Imperativ

Räum doch dein Zimmer auf!

~~Du~~ kommst mit.   Komm mit!

~~Ihr~~ kommt mit.   Kommt mit!

Sie kommen mit.   Kommen Sie mit!   (→ S.16)

d Präteritum von *sein* und *haben*

Die Stürme waren einfach zu stark.

	sein	haben
ich	war	hatte
du	warst	hattest
er, es, sie, man	war	hatte
wir	waren	hatten
ihr	wart	hattet
sie, Sie	waren	hatten

(→ S.22)

e Perfekt

Hat es Streit gegeben? Was ist passiert?

Perfekt mit *sein*: fahren, kommen, gehen, laufen, schwimmen, aufstehen, fallen, passieren, steigen, einsteigen, aussteigen, verreisen, ...

(→ S.22)

besondere Verben

(→ S.130)

GWH 2 Artikel, Nomen und Pronomen, Präpositionen

a Nomen im Plural

eine Hose   Hosen

Nomen (Plural)		
① Lampen		-(e)n: Jacken, Hosen …
② Bleistifte		-e/ˉe: Schuhe, Röcke …
③ Bücher		-er/ˉer: Kleider, Kaufhäuser, …
④ Fenster		-/ˉ: Pullover, Mäntel, Stiefel …
⑤ Autos		-s: Schals, T-Shirts …

→ S.14

b Nominativ

> Ich brauche noch **eine** Hose.

	Nomen	indefiniter Artikel	Negativartikel	definiter Artikel	Pronomen
maskulin	● Rock	**ein** Rock	**kein** Rock	**der** Rock	**er**
neutral	● Hemd	**ein** Hemd	**kein** Hemd	**das** Hemd	**es**
feminin	● Jacke	**eine** Jacke	**keine** Jacke	**die** Jacke	**sie**
Plural	○ Röcke	Röcke	**keine** Röcke	**die** Röcke	**sie**
	○ Hemden	Hemden	**keine** Hemden	**die** Hemden	
	○ Jacken	Jacken	**keine** Jacken	**die** Jacken	

→ S.14, 28

c Akkusativ

> Akkusativ
> → bei maskulin Singular ● **-en**

Nimmst du den ● Mantel ?

Ich brauche (k)einen ● Mantel .

Wie viel hast du **für** deinen ● Mantel bezahlt?

d Dativ

	Nomen	Dativ
maskulin	● Zug	**dem** Zug
neutral	● Fahrrad	**dem** Fahrrad
feminin	● U-Bahn	**der** U-Bahn
Plural	○ Züge, Fahrräder, U-Bahnen	**den** Zügen, den Fahrrädern, den U-Bahnen

e Präpositionen

> Mit der „Queen Victoria" **um** die Welt.

und Dativ

Wo?	Woher?	Wohin?	Wie?
vor, hinter, zwischen, neben, auf, über, unter, an, in, bei	von, aus	zu, nach	mit

Kontraktionen:

in + dem = **im**	an + dem = **am**	von + dem = **vom**
zu + dem = **zum**		bei + dem = **beim**
zu + der = **zur**		

und Akkusativ

für →		Wohin?	Kontraktionen:
gegen →←	+ Akkusativ	in	in + das = **ins**
ohne		an	an + das = **ans**

→ S.24

f Pronomen

> Der junge Parem Chand gefällt **ihnen**.

Nominativ	Akkusativ	Dativ
ich	mich	mir
du	dich	dir
er	ihn	ihm
es	es	ihm
sie	sie	ihr
wir	uns	uns
ihr	euch	euch
sie, Sie	sie, Sie	ihnen, Ihnen

→ S.30

Besondere Verben aus Ideen 1 und 2

Erweiterungswortschatz = kursiv gedruckt

abbiegen (er/sie biegt ab, ist abgebogen)
abschreiben (er/sie schreibt ab, hat abgeschrieben)
anbieten (er/sie bietet an, hat angeboten)
anfangen (er/sie fängt an, hat angefangen)
ankommen (er/sie kommt an, ist angekommen)
anrufen (er/sie ruft an, hat angerufen)
aufstehen (er/sie steht auf, ist aufgestanden)
aussehen (er/sie sieht aus, hat ausgesehen)
aussteigen (er/sie steigt aus, ist ausgestiegen)
backen (er/sie backt, hat gebacken)
beginnen (er/sie beginnt, hat begonnen)
beißen (er/sie beißt, hat gebissen)
bekommen (er/sie bekommt, hat bekommen)
beschließen (er/sie beschließt, hat beschlossen)
besteigen (er/sie besteigt, hat bestiegen)
beweisen (er/sie beweist, hat bewiesen)
binden (er/sie bindet, hat gebunden)
bleiben (er/sie bleibt, ist geblieben)
braten (er/sie brät, hat gebraten)
brechen (er/sie bricht, hat gebrochen)
brennen (er/sie brennt, hat gebrannt)
bringen (er/sie bringt, hat gebracht)
denken (er/sie denkt, hat gedacht)
dürfen (ich **darf**, du **darfst**, er/sie darf, hat gedurft)
einladen (er/sie lädt ein, hat eingeladen)
einsteigen (er/sie steigt ein, ist eingestiegen)
entscheiden (er/sie entscheidet, hat entschieden)
erfinden (er/sie erfindet, hat erfunden)
essen (er/sie isst, hat gegessen)
fahren (er/sie fährt, ist gefahren)
fallen (er/sie fällt, ist gefallen)
fernsehen (er/sie sieht fern, hat ferngesehen)
finden (er/sie findet, hat gefunden)
fliegen (er/sie fliegt, ist geflogen)
fressen (er/sie frisst, hat gefressen)
geben (er/sie gibt, hat gegeben)
gefallen (er/sie gefällt, hat gefallen)
gehen (er/sie geht, ist gegangen)
gelingen (er/sie gelingt, ist gelungen)
gewinnen (er/sie gewinnt, hat gewonnen)
graben (er/sie gräbt, hat gegraben)
haben (du **hast**, er/sie **hat**, hat gehabt)
halten (er/sie hält, hat gehalten)
hängen (er/sie hängt, hat gehangen)
heißen (er/sie heißt, hat geheißen)
helfen (er/sie hilft, hat geholfen)
herunterladen (er/sie lädt herunter, hat heruntergeladen)
kennen (er/sie kennt, hat gekannt)
klingen (er/sie klingt, hat geklungen)
kommen (er/sie kommt, ist gekommen)
können (ich **kann**, du **kannst**, er/sie **kann**, hat gekonnt)
lassen (er/sie lässt, hat gelassen)
laufen (er/sie läuft, ist gelaufen)
leihen (er/sie leiht, hat geliehen)
lesen (er/sie liest, hat gelesen)
liegen (er/sie liegt, hat gelegen)
los sein (es **ist** los, ist los gewesen)
lügen (er/sie lügt, hat gelogen)
melken (er/sie melkt, hat gemolken)
mitkommen (er/sie kommt mit, ist mitgekommen)

mitnehmen (er/sie nimmt mit, hat mitgenommen)
möchten (er/sie möchte, hat gemocht)
mögen (ich **mag**, du **magst**, er/sie **mag**, hat gemocht)
müssen (ich **muss**, du **musst**, er/sie **muss**, hat gemusst)
nehmen (er/sie nimmt, hat genommen)
nennen (er/sie nennt, hat genannt)
passieren (es passiert, ist passiert)
raten (er/sie rät, hat geraten)
reißen (er/sie reißt, hat/ist gerissen)
reiten (er/sie reitet, ist geritten)
rennen (er/sie rennt, ist gerannt)
rufen (er/sie ruft, hat gerufen)
scheinen (er/sie scheint, hat geschienen)
schießen (er/sie schießt, hat geschossen)
schlafen (er/sie schläft, hat geschlafen)
schlagen (er/sie schlägt, hat geschlagen)
schließen (er/sie schließt, hat geschlossen)
schneiden (er/sie schneidet, hat geschnitten)
schreiben (er/sie schreibt, hat geschrieben)
schreien (er/sie schreit, hat geschrien)
schwimmen (er/sie schwimmt, ist geschwommen)
sehen (er/sie sieht, hat gesehen)
sein (ich **bin**, du **bist**, er/sie **ist**, wir **sind**, ihr **seid**, sie **sind**, ist gewesen)
singen (er/sie singt, hat gesungen)
sollen (ich soll, du sollst, er/sie soll, hat gesollt)
spinnen (er/sie spinnt, hat gesponnen)
sprechen (er/sie spricht, hat gesprochen)
springen (er/sie springt, ist gesprungen)
stattfinden (er/sie findet statt, hat stattgefunden)
stehen (er/sie steht, hat gestanden)
steigen (er/sie steigt, ist gestiegen)
sterben (er/sie stirbt, ist gestorben)
streichen (er/sie streicht, hat gestrichen)
(sich) streiten (er/sie streitet, hat gestritten)
teilnehmen (er/sie nimmt teil, hat teilgenommen)
tragen (er/sie trägt, hat getragen)
(sich) treffen (er/sie trifft, hat getroffen)
trinken (er/sie trinkt, hat getrunken)
tun (er/sie tut, hat getan)
überfallen (er/sie überfällt, hat überfallen)
übersetzen (er/sie übersetzt, hat übersetzt)
verbieten (er/sie verbietet, hat verboten)
verbrennen (er/sie verbrennt, hat verbrannt)
vergessen (er/sie vergisst, hat vergessen)
verlassen (er/sie verlässt, hat verlassen)
verlieren (er/sie verliert, hat verloren)
versinken (er/sie versinkt, ist versunken)
versprechen (er/sie verspricht, hat versprochen)
verstehen (er/sie versteht, hat verstanden)
wachsen (er/sie wächst, ist gewachsen)
waschen (er/sie wäscht, hat gewaschen)
wehtun (er/sie tut weh, hat wehgetan)
werden (du **wirst**, er/sie **wird**, ist geworden)
werfen (er/sie wirft, hat geworfen)
wiegen (er/sie wiegt, hat gewogen)
wissen (ich **weiß**, du **weißt**, er/sie **weiß**, hat gewusst)
wollen (ich **will**, du **willst**, er/sie **will**, hat gewollt)
ziehen (er/sie zieht, hat gezogen)
zusammenstoßen (er/sie stößt zusammen, ist zusammengestoßen)

Chronologische Wortliste

Die chronologische Wortliste enthält alle Wörter dieses Buches mit
   Angabe der Seiten, auf denen sie zum ersten Mal vorkommen.

(Pl.) = Nomen wird nur oder meist im Plural verwendet
(Sg.) = Nomen wird nur oder meist im Singular verwendet
Erweiterungswortschatz = kursiv gedruckt

Modul 4
Wünsche und Ziele

Lektion 13
Das muss ich haben!

Seite 10
Taschengeld, das (Sg.)
Babysitten, das (Sg.)
Schuh, der, -e
Markenschuh, der, -e
Sonderangebot, das, -e
babysitten
Jugendamt, das, ⸚er
Amt, das, ⸚er
Schuluniform, die, -en
Markenkleidung, die (Sg.)

Seite 11
Markenwahn, der (Sg.)
Wahn, der (Sg.)
Kleidung, die (Sg.)
verdienen
Kleidungsstück, das, -e
Hose, die, -n
auf keinen Fall
so cool wie
viel cooler als
besser als
dagegen sein
positiv
Stimme, die, -n
es leichter haben
unbedingt
freiwillig
tragen
extrem
auf jeden Fall

Seite 12
gestreift
kariert
Schal, der, -s

Hemd, das, -en
Socke, die, -n
Kappe, die, -n
Rock, der, ⸚e
Handschuh, der, -e
Stiefel, der, –
Paar, das, -e
maskulin
Silbe, die, -n
Modell, das, -e

Seite 13
billiger als
elegant
ziemlich
fehlen

Seite 14
Das geht.
so schnell wie
praktisch

Seite 15
Modefarbe, die, -n
ein bisschen
passen zu
Verkäufer, der, –
Verkäuferin, die, -nen
Frechheit, die, -en
spinnen
noch immer nicht
freundlich
unfreundlich

Seite 16
können: Könnte ich ...?
natürlich
Größe, die, -n
probieren
passen
eine Nummer kleiner
eng
weit
werden: Würdest du ...?
   würden

sei still
anmachen
Geld mithaben

Seite 17
Transport, der, -e
Einzelhandel, der (Sg.)
Markenfirma, die,
   Markenfirmen
Firma, die, Firmen
Arbeiter, der, –
Arbeiterin, die, -nen
produzieren
verkaufen
Teil, der, -e
Transportkosten, die (Pl.)
Produktion, die, -en
Material, das, -ien
Energie, die, -n
Maschine, die, -n
Rest, der, -e
Werbung, die (Sg.)
Forschung, die, -en
Profit, der, -e
zurückschicken
hoffen
klappen
Ich hoffe, es klappt.
höflich

Lektion 14
Einmal um die Welt ...

Seite 18
Expedition, die, -en
Helikopter, der, –
Reiseroute, die, -n
Schlafsack, der, -e
Bergsteiger, der, –
Zelt, das, -e
Basislager, das, –
Ziel, das, -e
Gipfel, der, –

Seite 19
zählen
neblig
windig
schneien
regnen
Grad, das, -e
minus ... Grad Celsius
besteigen
Warten, das (Sg.)
Langeweile, die (Sg.)
zurückdenken
vorbereiten

Seite 20
Schnee, der (Sg.)
Nebel, der (Sg.)
scheinen
bewölkt
kühl
heiß
sonnig
Temperatur, die, -en
Niederschlag, der, ⸚e
Tageslicht, das (Sg.)
Hitze, die (Sg.)
Kälte, die (Sg.)
erkältet sein

Seite 21
Südspitze, die (Sg.)
Sturm, der, ⸚e
Segelschiff, das, -e
Orkan, der, -e
Eisberg, der, -e
untergehen
Logbuch, das, ⸚er
Abfahrt, die (Sg.)
Rettungsboot, das, -e
verlieren
Hauptmast, der, -en
brechen
abfahren
ideal

aufpassen
an Bord
aufhören
zurückfahren
endlich
Sicherheit, die (Sg.)
Schiffsarzt, der, ⁻e

Seite 22
passieren
Tagebuch, das, ⁻er
Vorbereitung, die, -en
dasselbe
Taschenmesser, das, –
Messer, das, –
Streit, der, -e
es hat Streit gegeben

Seite 23
Anzeige, die, -en
Dauer, die (Sg.)
Nordpol, der (Sg.)
Rundflug, der, ⁻e
inklusive
Exkursion, die, -en
Tauchfahrt, die, -en
U-Boot, das, -e
Weltraum, der (Sg.)
Warteliste, die, -n
Schiffsreise, die, -n
um die Welt
Testfahrt, die, -en
Runde, die, -n
Rennwagen, der, –
Formel 1, die (Sg.)
Reisebüro, das, -s
Raumstation, die, -en
ernst meinen
Flugangst, die (Sg.)
gut klingen
unbequem
bequem
Eismeer, das (Sg.)

Seite 24
Rennen, das, –
Schlagzeile, die, -n
Ballon, der, -s
Surfbrett, das, -er
Schlange, die, -n
Gepäck, das (Sg.)
mitnehmen
einpacken
auspacken

Hausboot, das, -e
ausprobieren

Seite 25
liegen in
usw.: und so weiter
z. B.: zum Beispiel
Postkarte, die, -n
Brieffreund, der, -e
Brieffreundin, die, -nen
Swimmingpool, der, -s
Langweiler, der, –
Sibirien

Lektion 15
Kennst du ihn?

Seite 26
kennenlernen
chatten
verfeindet
Feind, der, -e
befreundet
Handschrift, die, -en
Träne, die, -n

Seite 27
unglaublich
Inhalt, der, -e
Gute, das (Sg.)
energisch
Süßspeise, die, -n
danach
Märchenprinz, der, -en
Aussehen, das (Sg.)
Stelle, die, -n
Angst machen
weg von hier
Ohrring, der, -e
nie wieder
trösten
Liebesbrief, der, -e
zusammenpassen

Seite 28
*Kommunikationsmittel,
das, –*
seit
*Kommunikationsform,
die, -en*
Lichtsignal, das, -e
kommunizieren
Fax, das, -e
verflixt

Akku, der, -s
Brille, die, -n
schwach
unsympathisch
dunkelhaarig
dünn
schlank
stark
Zeichnung, die, -en
lockig
Zahnspange, die, -n
Verwandte, der, -n
ein Verwandter

Seite 29
vorsichtig
spontan
optimistisch
pessimistisch
aktiv
passiv
ordentlich
diszipliniert
kreativ
reagieren
Energie, die, -n
Stress, der (Sg.)
Regel, die, -n
deprimiert
positiv
Risiko, das, Risiken
Schriftmerkmal, das, -e
*Charaktereigenschaft, die,
-en*
schräg
Kontrolle, die (Sg.)
Kontakt, der, -e

Seite 30
Hochzeit, die, -en
dort drüben
hübsch
gratulieren
Torte, die, -n
wem
Geldbörse, die, -n

Seite 31
sollen
peinlich
Monster, das, –
verabredet sein
Schlüssel, der, –

Seite 32
Option, die, -en
Entscheidung, die, -en
Straßenbahn, die, -en
entscheiden
skypen
Argument, das, -e
am liebsten
Bratwurst, die, ⁻e
*Unterhaltungssendung,
die, -en*
in den Bergen

Seite 33
Typ, der, -en
Gegensatzpaar, das, -e
verschieden
Hey!
Wow!
Gegenstand, der, ⁻e
Gewohnheit, die, -en

Lektion 16
Was für eine Idee!

Seite 34
Haar, das, -e
Friseur, der, -e
Rockkonzert, das, -e
Tonne, die, -n
ziehen
Zahncreme, die, -s
putzen
Ding, das, -e
tun
Weltrekord, der, -e
dauern
damals
lang genug
so viel ... wie
halten
ziemlich
Spezial-

Seite 35
unmöglich
recht haben
wahrscheinlich

Seite 36
Quadratzentimeter, der, –
Kubikzentimeter, der, –
Stundenkilometer, der, –
Sekunde, die, -n

Gramm, das, –
Länge, die (Sg.)
Breite, die (Sg.)
Höhe, die (Sg.)
Fläche, die, -n
Raum, der, ⁻e
Geschwindigkeit, die, -en
Gewicht, das, -e
Eishockeyspiel, das, -e
Lokomotive, die, -n
breit
Fußballfeld, das, -er
Sauerstoff, der (Sg.)
wohl
doppelt so
Gepard, der, -en

Luftballon, der, -s
Hälfte, die, -n
fast
ein paar
Haustier, das, -e

am besten
am meisten
Wal, der, -e
Vatikan, der (Sg.)
berühmt
Ozean, der, -e
Pazifik, der (Sg.)
Faultier, das, -e
Eisdiele, die, -n
Sportart, die, -en

Märchen, das, –
Mopedreparatur, die, -en
Kraul schwimmen
Meerschweinchen, das, –
reparieren
Brust schwimmen
Batterie, die, -n
Rücken schwimmen
Salto, der, -s
Rettungsschwimmen,
    das (Sg.)
Haustierallergie, die, -n
Lüge, die, -n
Lügengeschichte, die, -n

Musikinstrument, das, -e

Judo, das (Sg.)
Wirklichkeit, die, -en
in Wirklichkeit
dieser / dieses / diese
was für ein / eine
Gerät, das, -e
Gruppe, die, -n

amerikanisch
Major, der, -e
NATO (North Atlantic
    Treaty Organization
    = Nordatlantische
    Vertrags-Organisation)
Konferenz, die, -en
organisieren
Kleinstadt, die, ⁻e
inzwischen
abreisen
Mond, der, -e
Passagier, der, -e
Manager, der, –
Rakete, die, -n
NASA (National
    Aeronautics and
    Space Administration
    = US-amerikanische
    Luft- und Raumfahrt-
    behörde)
Flug, der, ⁻e
schließlich
Ticket, das, -s
Hochstapler, der, –
logisch
unlogisch
lächeln
Gefängnis, das, -se
anmelden
Zeichen, das, –
Anmeldeschluss, der (Sg.)
Anmeldegebühr, die, -en
Anmeldeformular, das, -e
Unterschrift, die, -en
heulen
fressen

Modul-Plus 4
Landeskunde

Tracht, die, -en
Dirndl, das, -n

Lederhose, die, -n
Leder, das (Sg.)
Kanton, der, -e
Region, die, -en
Umschlagseite, die, -n
Umschlag, der, ⁻e
Bundesland, das, ⁻er
Hauptstadt, die, ⁻e

Mitglied, das, -er
Trachtenverein, der, -e
Volkstanz, der, ⁻e
Volksfest, das, -e
Ball, der, ⁻e
Volksmusik, die (Sg.)
Crossover-Musik, die (Sg.)
Musikstil, der, -e
ein Muss
Besucher, der, –
Dialekt, der, -e
Zusammenfassung, die,
    -en
Karten spielen
Bier, das, -e
beliebt
unbeliebt
in / out

Modul-Plus 4
Projekt

Urlaubsgewohnheiten, die
    (Pl.)
ausgeben
Faxgerät, das, -e
Süßigkeit, die, -en
Sonstige, das (Sg.)
Autogrammkarte, die, -n
Kaktus, der, Kakteen
Ausland, das (Sg.)
Inland, das (Sg.)
Campingplatz, der, ⁻e
Gepäckstück, das, -e
Koffer, der, –

Feriencamp, das, -s
Fahrradtour, die, -en

schaffen
Rezept, das, -e
Butter, die
Pfanne, die, -n
legen
Topf, der, ⁻e
stellen
vorkochen
nachkochen
Koch, der, ⁻e
Köchin, die, -nen
Prüfung, die, -en
Mittagessen, das, –
Kochkurs, der, -e
Schulessen, das (Sg.)
Ausbildung, die, -en
inzwischen

College, das, -s
Erfahrung, die, -en
Berufswelt, die (Sg.)
Spitzenkoch, der, ⁻e
Theorie, die, -n
Praxis, die (Sg.)
Zwiebel, die, -n
schneiden
braten
backen
Wichtigste, das (Sg.)
konzentriert
sich konzentrieren
Temperament, das, -e
Küchenchef, der, -s
Arbeitsklima, das (Sg.)
Abschlussprüfung, die, -en
Team, das, -s
Kritik, die, -en
akzeptieren
Pünktlichkeit, die (Sg.)
dieses Mal
zusammenarbeiten

Seite 52

Lauch, der (Sg.)
Sardelle, die, -n
Salz, das (Sg.)
Pfeffer, der (Sg.)
frisch
in den Topf geben
anbraten
Öl, das, -e
Chefkoch, der, ¨-e
zu früh
liegen
den Tisch decken
Glas, das, ¨-er
Löffel, der, –
Dessertbesteck, das, -e
Dessert, das, -s
Besteck, das, -e
Serviette, die, -n
Salzstreuer, der, –
Gabel, die, -n

Seite 53

Menü, das, -s
Gasthaus, das, ¨-er
Mensa, die, -s
Vorspeise, die, -n
Shrimps, die (Pl.)
Hauptspeise, die, -n
Tomatensauce, die, -n
Frikadelle, die, -n
Nachspeise, die, -n
gemischte Eis, das (Sg.)
bestellen
Kellner, der, –
Selbstbedienung, die (Sg.)
selbst
Würstchen, das, –
Braten, der, –
Nudel, die, -n

Seite 54

Berufsausbildung, die,
   -en
Automechaniker, der, –
Tierärztin, die, -nen
Krankenschwester, die, -n
Krankenpfleger, der, –
Programmiererin, die,
   -nen
Beamter, der, -en
Beamtin, die, -nen
meist

Mechatroniker, der, –
Hauptschulabschluss, der
   (Sg.)
Lehre, die, -n
speziell
Abitur, das (Sg.)
Handwerker, der, –
Tischler, der, –
Aufnahmeprüfung, die, -en
studieren

Seite 55

pro
Zentrale, die, -n
Telefonist, der, -en
Telefonistin, die, -nen
Anfrage, die, -n
Nachhilfe, die (Sg.)
austragen (Prospekte,
   Zeitungen)
Ortsnachrichten, die (Pl.)
Produkt, das, -e
Schachtel, die, -n
Dose, die, -n
Flasche, die, -n
Kiste, die, -n
Flaschenkiste, die, -n
Lager, das, –
räumen
Plakat, das, -e
hängen
Abfall, der (Sg.)
Mülleimer, der, –
werfen
nerven
kaputt machen
lügen
fertig
dauernd
das ist meine Sache
einräumen
hassen
sauber
Kunde, der, -n
ist schon gut

Seite 56

unpünktlich
schmutzig
leer
wegräumen
sofort
umsonst

vor allem
stören
es stört mich
jemand
rauchen
Chaos, das (Sg.)
schimpfen
voll
faul
Eile, die (Sg.)
in Eile sein
fleißig
tolerant

Seite 57

Wunschjob, der, -s
Bezahlung, die (Sg.)
Nachhilfestunde, die, -n
Getränkemarkt, der, ¨-e
Helfer, der, –
täglich
Kindergarten, der, ¨-
Sprachkurs, der, -e
Basketballtraining, das
   (Sg.)
Kreuzfahrtschiff, das, -e
Gast, der, ¨-e
Trinkgeld, das, -er

Lektion 18
Damals durfte man das nicht …

Seite 58

Zeitreise, die, -n
Bauernhaus, das, ¨-er
Bauer, der, -n
Bäuerin, die, -nen
Sorge, die, -n
Holz, das, ¨-er
melken
Lebensmittel, das, –
Kartoffelfeld, das, -er
pflanzen
füttern
romantisch
anders
Bürste, die, -n
Besen, der, –
binden
Ware, die, -n

Menge, die, -n
Butter, die (Sg.)

Seite 59

Geschichte, die (Sg.)
plötzlich
Streichholz, das, ¨-er
(Fernseh-)Sender, der, –
genauso
Elektrizität, die (Sg.)
Fernseher, der, –
Futter, das (Sg.)
(Schwarzwald-)Hof, der, ¨-e
unerträglich
(Kartoffel-)Ernte, die, -n
(Fernseh-)Zuschauer, der, –
klar sein
Überleben, das (Sg.)
kämpfen
stolz
feststellen
kein Thema sein
notwendig
(Fernseh-)Sendung, die,
   -en
Spielregel, die, -n

Seite 60

Arbeitstag, der, -e
Feuer, das, –
Grünfutter, das (Sg.)
in Ordnung bringen
Geschirr, das (Sg.)
abwaschen
Feldarbeit, die (Sg.)
Waldarbeit, die (Sg.)
Heizung, die, -en
Licht, das, -er
Staub saugen
Geschirrspüler, der, –
Mikrowelle, die, -n
stecken
Lichtschalter, der, –
zubereiten
Hausarbeit, die, -en
Gartenarbeit, die, -en

Seite 61

Fernsehshow, die, -s
streng
abgeben
modern
Alltag, der (Sg.)
Kartoffelchips, die (Pl.)

Seite 62

Realityshow, die, -s
soweit sein
Kandidat, der, -en
Kandidatin, die, -nen
Dschungel, der, –
Dschungelcamp, das, -s
König, der, -e
Königin, die, -nen
mitentscheiden
Dorf, das, ⸚er
Kamera, die, -s
dabei sein
getrennt
Naturstamm, der, ⸚e
Bonbon, das, -s
beantworten
scheußlich
widerlich
zustimmen
teilweise
(Fernseh-)Unterhaltung,
  die (Sg.)
Realität, die, -en
tagelang
verbieten
erlauben
persönlich
Privatleben, das (Sg.)
berühmt

Seite 63

Verkehr, der (Sg.)
Enkel, der, –
Enkelin, die, -nen
Tastensperre, die (Sg.)

Seite 64

kompliziert
Freiheit, die, -en
Glühbirne, die, -n
Code, der, -s
Kopfhörer, der, –
anstecken
Motor, der, -en
Antenne, die, -n
EC-Karte, die, -n
Optimist, der, -en
Optimistin, die, -nen
Pessimist, der, -en
Pessimistin, die, -nen

Seite 65

Rentnerin, die, -nen
Rentner, der, –
Ecke, die, -n
aufgeben
Schülerzeitung, die, -en
Laptop, der, -s
E-Mail-Adresse, die, -n
flirten

Lektion 19
Mein Vorbild, mein Idol,
meine Heldin, mein Held

Seite 66

Vorbild, das, -er
Idol, das, -e
Held, der, -en
Heldin, die, -nen
niemals
aufgeben
Station, die, -en
Traum, der, ⸚e
Skirennläufer, der, –
begeistert
Comeback, das, -s
operieren
retten
Unfall, der, ⸚e
Weltcup, der, -s
Weltcupsieg, der, -e
Höhen und Tiefen, die (Pl.)
Tiefe, die, -n
Ski, der, -er
(Jugend-)Rennen, das, –
Nationaltrainer, der, –
verletzt sein
Operation, die, -en
Training, das (Sg.)
abbiegen
krachen

Seite 67

Hauptschule, die, -n
als
Testfahrer, der, –
Actionfilm, der, -e
vorbeifahren
Karriere, die, -n
beenden
Trainingsfahrrad, das, ⸚er
Schmerz, der, -en
träumen

starten
perfekt
von nun an
Trainingspause, die, -en
negativ

Seite 68

zusammenstoßen
stürzen
bluten
Fieber haben
bewegen
Krankenwagen, der, –
rufen
Pflaster, das, –
Verband, der, ⸚e
Gips, der (Sg.)
Campingurlaub, der, -e
Salbe, die, -n
grillen
ausschlagen
brennen
hinfallen
umfallen
Schlüsselwort, das, ⸚er
nachlaufen

Seite 69

Filmplakat, das, -e
Rose, die, -n
Flugblatt, das, ⸚er
Diktatur, die, -en
Diktator, der, -en
Partei, die, -en
Polizei, die (Sg.)
geheim
Staat, der, -en
Konzentrationslager, das, –
sterben

Seite 70

Philosophie, die, -n
klar werden
fieberhaft
Hausmeister, der, –
Mitleid, das (Sg.)
Gruppenmitglied, das, -er
diesmal
Geschichte sein

Seite 71

Olympische Spiele, die (Pl.)
Goldmedaille, die, -n
Fußballer, der, –
Fußballweltmeister, der, –

Politiker, der, –
Pazifist, der, -en
in den 30er Jahren
Frisur, die, -en
sorgen (für jemanden)
Krieg, der, -e
der / die / das einzige
Studium, das, Studien

Seite 72

obwohl
Wunsch, der, ⸚e
treffen
Folge, die, -n
tot
trotzdem
Medizin studieren
besichtigen

Seite 73

Cabriolet, das, -s
parken
Benzin, das (Sg.)
zählen
schwach werden
sowas = so etwas
nämlich
egoistisch

Lektion 20
Lasst mich doch
erwachsen werden!

Seite 74

erwachsen
Politik, die (Sg.)
anschauen
sich rasieren
sich schminken
wählen
erst
schon

Seite 75

hinunterspringen
Kimono, der, -s
Liane, die, -n
anstrengend
darum
ausleihen
sich gut fühlen
Erwachsenwerden, das (Sg.)
lebensgefährlich
Bambus, der (Sg.)

hinaufsteigen
reißen
Mutprobe, die, -n
Mut, der (Sg.)
Zeremonie, die, -n
bekannt
Bungee-Jumping, das (Sg.)

Seite 76

Extremsportart, die, -en
House Running, das (Sg.)
Rafting, das (Sg.)
Objektspringen (Base Jumping), das (Sg.)
Eisschwimmen, das (Sg.)
Freiklettern, das (Sg.)
Apnoetauchen, das (Sg.)
Fallschirm, der, -e
eiskalt
Hauswand, die, ̈e
klettern
Hilfsmittel, das, –
steil
Felswand, die, ̈e
Schlauchboot, das, -e
Wildbach, der, ̈e
Sauerstoffgerät, das, -e
tief
flach
Eishockey, das (Sg.)
Eislaufen, das (Sg.)
Rudern, das (Sg.)
drinnen
draußen
hinauf
hinunter
unten
oben
vorne
hinten
hinein
hinaus
Ausschnitt, der, -e
Sportreportage, die, -n
Schiedsrichter, der, –
Tor, das, -e
Läufer, der, –
Norwegen
Favorit, der, -en
Berg, der, -e
Foul, das, -s
nötig sein
Drittel, das, –

Spielstand, der (Sg.)
Publikum, das (Sg.)
Halle, die, -n
Trainerbank, die, ̈e

Seite 77

sich entspannen
(sich) streiten
Sprung, der, ̈e
Gebäude, das, –
verboten
erlaubt
Motocross, das (Sg.)
Rallye, die, -s
sich ärgern
sich freuen
sich ausruhen
sich entschuldigen
modisch

Seite 78

lassen
außerdem
Jazzfestival, das, -s
normalerweise
färben
Sportverein, der, -e
Ratschlag, der, ̈e
öfter

Seite 79

wetten
zurückbekommen
Wette, die, -n
Wetteinsatz, der, ̈e
verlieren
einverstanden
Verspätung haben
Verspätung, die, -en
Angsthase, der, -n
diskutieren
Plattform, die, -en
Leiter, die, -n
tatsächlich

Seite 80

tödlich
attackieren
verunglücken
Dach, das, ̈er
enden
surfen
Rottweiler, der, –
totbeißen

fast
Hundeattacke, die, -n
Motiv, das, -e
Wagentür, die, -en
Feuerwehr, die, -en
Feuerwehrauto, das, -s
Führerschein, der, -e
Schreibblock, der, ̈e
Decke, die, -n

Seite 81

Transformation, die, -en
einsetzen
Bedeutung, die, -en
Herzliche Grüße
Neuigkeit, die, -en

Modul-Plus 5
Landeskunde

Seite 82

Gymnasium, das, Gymnasien
Grundschule, die, -n
BHS (Berufsbildende höhere Schule), die
Matura, die (Sg.)
Primarschule, die, -n
Volksschule, die, -n
Schulsystem, das, -e
Lehrling, der, -e
Berufsschule, die, -n
im Moment
Moment, der, -e
Elektronik, die (Sg.)
Werkstatt, die, ̈en
Lehrjahr, das, -e

Seite 83

Studienplatz, der, ̈e
technisch

Modul-Plus 5
Projekt

Seite 84

Methode, die, -n
Einkommen, das, –
Bibliothek, die, -en

Seite 85

Farbfernsehen, das (Sg.)
Einleitung, die, -en
Thema, das, Themen
joggen

Modul 6
Wunderbar und seltsam

Lektion 21
Ein toller Film!

Seite 90

kaum
spannend
Kameramann, der, ̈er
Regisseur, der, -e
Drehbuchautor, der, -en
Drehbuchautorin, die, -nen
Maskenbildner, der, –
Maskenbildnerin, die, -nen
Sounddesigner, der, –
Sounddesigner, die, -innen
Beleuchter, der, –
Beleuchterin, die, -nen
Synchronsprecher, der, –
Synchronsprecherin, die, -nen
Aufnahme, die, -n
Rolle, die, -n
Studio, das, -s
einen Film drehen
Dreharbeiten, die (Pl.)
mischen
Ton, der, ̈e
Charakter, der, -e
Figur, die, -en
am Set

Seite 91

Puppentheater, das, –
mitspielen
Synchronstudio, das, -s
zuschauen
aushelfen
Werbespot, der, -s
sich hineindenken
schreien
pausenlos
Stimme, die, -n
Zeichentrickfigur, die, -en
Raupe, die, -n
Schmetterling, der, -e
witzig
einfühlen
manche
Synchronstimme, die, -n

synchronisieren
Synchronisation, die, -en
Originalsprache, die, -n

Seite 92
Horrorfilm, der, -e
Western, der, –
Komödie, die, -n
Science-Fiction, die (Sg.)
Thriller, der, –
Kostümfilm, der, -e
Filmkritik, die, -en
Geschäftsreise, die, -n
Hauptrolle, die, -n
Bande, die, -n
terrorisieren
Sheriff, der, -s
hilflos
Farmer, der, –
verzweifelt
Fremde, der, -n
Fremde, die, -n
am Ende sein
Spiel um Spiel
Neuanfang, der, ⁼e
originell
mal zwei
Wissenschaft, die, -en
klonen
Verbot, das, -e
Spiegelbild, das, -er
Klon, der, -e
viele Längen
Großstadt, die, ⁼e
Bulle, der, -n
pur
aufregend
Inspektor, der, -en
Kultregisseur, der, -e
Stunt, der, -s
Landschaftsaufnahme,
   die, -n
Handlung, die, -en
unrealistisch

Seite 93
einschlafen
hervorragend
sentimental
prima
Schluss, der, ⁼e
Kategorie, die, -n
handeln von
es geht um
spielen in

Seite 94
ideal
unheimlich
Wesen, das, –
fremd
historisch
Tafel, die, -n
Klassenzimmer, das, –
Bankdirektor, der, -en
clever

Seite 95
Atelier, das, -s
Garage, die, -n
sich verlieben
angehen
Genie, das, -s
sonderbar
Typ, der, -en
Freak, der, -s
Elektronikgeschäft, das, -e

Seite 96
Taschenrechner, der, –
blöd
besetzt
Reihe, die, -n
Schlagzeug, das, -e

Seite 97
Magazin, das, -e
rennen
Videothek, die, -en
dringend
überfallen
sich ändern
diesmal
Spielcasino, das, -s
sich beeilen
Kopie, die, -n
Experiment, das, -e
Disziplin, die (Sg.)
einzeln
Bewegung, die, -en
Wasserballspiel, das, -e
Filmidee, die, -n
nachsehen
hart
Action, die (Sg.)
ändern
Internetforum, das, -en
gar nicht
drehen

Lektion 22
Intelligenz und Gedächtnis

Seite 98
Intelligenz, die (Sg.)
Gedächtnis, das, -se
verreisen
global
sich wohlfühlen
sprachlich
mathematisch
mindestens
körperlich
personal
räumlich
musikalisch
Bankkauffrau, die, -en
Bankkaufmann, der, ⁼er
Schriftsteller, der, –
Inselbegabte, der / die, -n
Gebiet, das, -e
Beweis, der, -e
Autist, der, -en
sich etwas merken

Seite 99
Wunderkind, das, -er
über Nacht
genial
Jazzlegende, die, -n
Sprachrätsel, das, –
Sprachspiel, das, -e
in kürzester Zeit
sogenannt-
Intelligenztest, der, -s
erreichen
Punkt, der, -e
Raum, der, ⁼e
Form, die, -en
Dichter, der, –
Innenwelt, die (Sg.)
analysieren
Referat, das, -e

Seite 100
sich verkleiden
Straßenjunge, der, -n
Selbstgespräch, das, -e
Gesprächspartner, der, –
Gesprächspartnerin, die,
   -nen
um sich herum

ganz er selbst
montags
morgens
übermorgen
vorgestern
Rechenaufgabe, die, -n
nach einiger Zeit
Richtung, die, -en
Kroatien
Wassergymnastik, die
   (Sg.)
zuletzt

Seite 101
Vokabel, die, -n
aufnehmen
Wortschatz, der (Sg.)
benutzen
sich etwas vorstellen
abschreiben
übersetzen
Ausweis, der, -e
Balkon, der, -e
Bikini, der, -s
Burg, die, -en
Flöte, die, -n
Gedicht, das, -e
Insekt, das, -en
Kirche, die, -n
klingeln
Quark, der (Sg.)
Teppich, der, -e
Puzzle, das, -s
Zucker, der (Sg.)
Motorroller, der, –
schädlich
streiken
protestieren

Seite 102
voraus
Sporttasche, die, -n
Vergangenheit, die (Sg.)

Seite 103
Wiedersehen, das (Sg.)
Handtuch, das, ⁼er
Shampoo, das, -s
Farbfleck, der, -en
Fleck, der, -en
umbauen
streichen
Pech, das (Sg.)
Laden, der, ⁼

öffnen
stressig
begrüßen
Elektroniker, der, –
jetzt reicht es aber
Quatsch, der (Sg.)
Ruhe, die (Sg.)
in Ruhe lassen

Seite 104
Möbel, die (Pl.)
ausräumen
abkleben
Reisepass, der, ̈e
vorzeigen
hineingeben
abgeben
Teeblatt, das, ̈er
Fußgängerzone, die, -n
Tablette, die, -n
Flohmarkt, der, ̈e
Bücherei, die, -en
installieren

Seite 105
Wettbewerb, der, -e
Preis, der, -e
Badesee, der, -n
Bahnfahrt, die, -en
Schreibtisch, der, -e
zum Glück
Terrasse, die, -n
Express-Service, der (Sg.)
mit jemandem gehen
golden

Lektion 23
**Weißt du, wer das
erfunden hat?**

Seite 106
erfinden
Original, das, -e
Ratte, die, -n
annagen
Lotusblume, die, -n
Haifisch, der, -e
Haut, die (Sg.)
Ast, der, ̈e
wachsen
Bionik, die (Sg.)
kopieren

nachmachen
stumpf
Schwimmanzug, der, ̈e
Anzug, der, ̈e
Schwimmrekord, der, -e
teilen
Biologe, der, -n
Biologin, die, -nen
Tier- und Pflanzenwelt,
   die (Sg.)
Material, das, -ien
Forschungsgebiet, das, -e
Mischwort, das, ̈er
davon
Blatt, das, ̈er
Schmutz, der (Sg.)
hängen bleiben
Bioniker, der, –
Trick, der, -s
Delfin, der, -e
Signal, das, -e
senden
Kommunikationstechnik,
   die, -en
Zahn, der, ̈e
Rattenzahn, der, ̈e
Konstruktion, die, -en
Vogel, der, ̈

Seite 107
reinigen
Klettverschluss, der, ̈e
Stacheldraht, der, ̈e

Seite 108
Erfindung, die, -en
menschlich
Einkaufszettel, der, –
Feuerlöscher, der, –
Besitzer, der, –
aussuchen
Einkaufstüte, die, -n
virtuell
nützlich
Kaugummi, der, -s

Seite 109
Kaffeefilter, der, –
Kaffeemaschine, die, -n
Schreibmaschine, die, -n
Klette, die, -n
neugierig
Nähe, die (Sg.)

in der Nähe (von)
drucken
Rolle, die, -n
Gummistiefel, der, –
hart
weich
Gummi, der (Sg.)
in den Mund stecken
Kaffeepulver, das (Sg.)
Löschblatt, das, ̈er
Tasse, die, -n
Tintenfleck, der, -en
stillstehen
Fluggerät, das, -e
Kontaktlinse, die, -n
Treppe, die, -n
Rolltreppe, die, -n

Seite 110
Tastatur, die, -en
Maus, die, ̈e
Drucker, der, –
USB-Stick, der, -s
Monitor, der, -e
Scanner, der, –
*CD-ROM-Laufwerk,
   das, -e*
Laptop, der, -s
sparen
Jahrzehnt, das, -e
Zeitfresser, der, –
hochfahren
Ordner, der, –
Datei, die, -en
stundenlang
herunterladen
ausdrucken
Zeit kosten
speichern
von vorne
anklicken
Suchmaschine, die, -n
eingeben
online
in Kontakt bleiben
Chatroom, der, -s
brennen
schenken
von zu Hause aus

Seite 111
Staubsauger, der, –
Stock, der, ̈e

Spielzeug, das (Sg.)
*Herren- / Damen-
   bekleidung, die (Sg.)*
Schreibwaren, die (Pl.)
Sporthaus, das, ̈er
Kosmetik, die (Sg.)
Toilettenartikel, der, –
Parkhaus, das, ̈er
Erdgeschoss, das, -e
Untergeschoss, das, -e
Haushaltsgerät, das, -e
Tratsch, der (Sg.)
Kasse, die, -n
bar zahlen
Kreditkarte, die, -n
Keller, der, –
Bescheid sagen
außer
Na was wohl?

Seite 112
ob
Roboter, der, –
sich erinnern (an)

Seite 113
Evolution, die (Sg.)
Fledermaus, die, ̈e
Pinguin, der, -e
Knochen, der, –
Handknochen, der, –
Flügel, der, –
Fledermausflügel, der, –
Flosse, die, -n
Pinguinflosse, die, -n
Marke, die, -n
Automarke, die, -n
Pferdekutsche, die, -n
Nachkomme, der, -n
überleben
von Geburt an
Veränderung, die, -en
natürliche Veränderung
Generation, die, -en
Mutation, die, -en
Prozess, der, -e
beispielsweise
Automarkt, der (Sg.)
Hunderte
Getränkehalter, der, –
aufgehen
zugehen

Lektion 24
Wo ist Atlantis? Wer oder was war El Dorado?

Seite 114

weltberühmt
vor seiner Zeit
zu etwas kommen
Antike, die (Sg.)
segeln
zurückholen
klug
Mittelmeerraum, der (Sg.)
zerstören
Königssohn, der, ⸚e
Ehefrau, die, -en

Seite 115

Ausgrabung, die, -en
Archäologe, der, -n
riesig
zumindest
Soldat, der, -en
Stadttor, das, -e
Kamerad, der, -en
töten
faszinieren
locken
stattfinden
Epos, das, Epen
beschließen
antik
Hügel, der, –
graben
Stadtmauer, die, -n
Schatzkammer, die, -n
Erzählung, die, -en
Entdeckung, die, -en

Seite 116

Kontext, der, -e
Adverb, das, -ien
Wortart, die, -en
Wortbildung, die, -en
prüfen
Tor, das, -e
Mauer, die, -n
Kammer, die, -n
Schatz, der, ⸚e

Seite 117

versinken
ringförmig angelegt

Wasserweg, der, -e
weiden
Elefant, der, -en
laut jmdm.
detailgenau
jemanden zu etwas
   bringen
vermuten
Meeresgrund, der (Sg.)
erfolglos
Eroberer, der, –
Konquistador, der, -en
allerdings
Urwald, der, ⸚er
Lügner, der, –
Erfolg, der, -e
Überrest, der, -e
wertvoll
fruchtbar
Regenwald, der, ⸚er

Seite 118

Entdecker, der, –
vorhaben
versprechen
versuchen
fortsetzen
Seestraße, die, -n
Durchfahrt, die, -en
Neuseeland
Schotte, der, -n
Schottin, die, -nen
durchqueren
als erster
Südpol, der (Sg.)
teilnehmen
wegfahren

Seite 119

Beziehungsdiagramm,
   das, -e
Diagramm, das, -e
abwischen
Bauteil, das, -e
verlassen
sich setzen
anbieten
Idiot, der, -en
Danke gleichfalls.
ironisch
hierbleiben
zurückgeben

Seite 120

vorbeibringen
Elektronikbaustein, der, -e
Grippe, die (Sg.)
sauer
süß
wegnehmen

Seite 121

Gott, der, ⸚er
Wüste, die, -n
Peru
Felsboden, der, ⸚
Buchautor, der, -en
Markierung, die, -en
Landung, die, -en
Vortrag, der, ⸚e
Steckbrief, der, -e
Floß, das, ⸚e
beweisen
erreichen
Bestseller, der, –
Polarforscher, der, –
Polarforscherin, die, -nen
Ballonreisende, der, -n
erfolgreich
echt

Modul-Plus 6
Landeskunde

Seite 122

Sandstrand, der, ⸚e
Gebirge, das, –
Hafen, der, ⸚
Schauplatz, der, ⸚e
Staumauer, die, -n
Pass, der, ⸚e
Opernfestspiele, die (Pl.)

Seite 123

fern
exotisch
Karibik, die (Sg.)
Geheimdienst, der, -e
Gegner, der, –
wildromantisch
Agent, der, -en
unterwegs sein
Luxushotel, das, -s
zuvor
finster
Gast, der, ⸚e

zu Gast sein
Titel, der, –
Quantum, das, Quanten
Trost, der (Sg.)
Ziel, das, -e
Reiseziel, das, -e
Kloster, das, ⸚
Mittelalter, das (Sg.)
verbringen
Innenaufnahme, die, -n
Radweg, der, -e
führen (durch, zu)
Weinberg, der, -e
Radtour, die, -en
Nordwand, die, ⸚e
Mord, der, -e
Bergroute, die, -n
dramatisch
Besteigung, die, -en
aus der Nähe sehen

Modul-Plus 6
Projekt

Seite 124

Dampfdruck-Kochtopf,
   der, ⸚e
Rollschuh, der, -e
Bügeleisen, das, –
Gesundheit, die (Sg.)
(Fieber-)Thermometer,
   das, –
Atmosphäre, die, -n
rasch
sicher
Motorflugzeug, das, -e
erstmals

Seite 125

froh
Stichpunkt, der, -e

Partneraufgaben

zu Seite 97: Lektion 21, F1

a Partnerarbeit. Lies Sophies Filmkritik zu „Die Welle" im Schulmagazin. Deine Partnerin / dein Partner liest Michaels Filmkritik zu „Lola rennt" auf Seite 97.

Filmhits in der Schul-Videothek

1 **Mein „Film des Monats" kommt aus Deutschland.**
2 **Er heißt „Die Welle".**
3 In dem Film geht es um ein Experiment in einer deutschen
4 Schule. Rainer Wengers Schüler können nicht verstehen,
5 wie Adolf Hitler und die Nazi-Diktatur in Deutschland
6 möglich waren. Da startet der Geschichtslehrer ein
7 Projekt. Er möchte seinen Schülern zeigen, wie Diktaturen
8 funktionieren. Er ändert seinen Unterricht: Strenge Regeln
9 und Disziplin sind in der Klasse plötzlich sehr wichtig. Der
10 einzelne Schüler, die einzelne Schülerin bedeuten nichts, die
11 Gruppe ist alles. Bald bekommt die neue „Bewegung" einen
12 Namen: „Die Welle". Viele Schüler lieben die neue Ordnung.
13 Wenn jemand gegen die neue Ordnung ist, bekommt er
14 Probleme. Bei einem Wasserballspiel kommt es zu einem
15 bösen Streit. Der Lehrer möchte das Experiment beenden,
16 doch es ist fast zu spät ...
17 „Ist Wengers Experiment nur eine gute Filmidee oder hat
18 es ähnliche Experimente wirklich gegeben?" Das wollte ich
19 nach dem Film wissen und habe im Internet nachgesehen.
20 Schon im Jahr 1967 hat ein Geschichtslehrer in den USA ein
21 ähnliches Projekt mit seinen Schülern gemacht. Und auch
22 damals wollte der Lehrer das Experiment beenden. Der Film
23 ist spannend, und die Schauspieler sind prima. Besonders
24 Jürgen Vogel als Rainer Wenger ist sehr gut. Manche
25 Szenen finde ich aber ein bisschen zu hart, zu aggressiv. Das
26 ist für mich zu viel Action. Trotzdem: ein toller Film!

ⓘ ● Experiment ≈ man probiert etwas aus

b Macht Interviews, fragt und antwortet.

Fragen zu „Lola rennt"

1 Wer sind Manni und Lola?
2 Was ist Mannis Problem?
3 Welche drei Lösungen zeigt der Film?
4 Wer ist der Regisseur, wer sind die Schauspieler?
5 Wo spielt der Film?
6 Wie findet Michael den Film?

zu Seite 112: Lektion 23, E3

6 Hast du Haustiere?
7 Was hast du gestern zu Mittag gegessen?
8 Was hast du in den letzten Sommerferien gemacht?
9 Warst du schon einmal in Deutschland?
10 Kannst du dich an die erste Prüfung in der Schule erinnern?

ⓘ sich erinnern ≈ an etwas denken, das früher war

a) Partnerarbeit. Lest den Text über Erich von Däniken. Partner A liest den Text auf Seite 121. Partner B liest den Text auf dieser Seite. Ergänzt die fehlenden Informationen. Fragt und antwortet euch gegenseitig.

1 **Wissenschaft oder Unterhaltung?**
2 In der Nazca-Wüste in Peru gibt es riesige Figuren auf dem
3 Felsboden. Nur aus großer Höhe kann man die Figuren sehen.
4 Deshalb hat man sie auch erst **2** *In welchem Jahr?* entdeckt.
5 Damals sind die ersten Flugzeuge über die Wüste geflogen.
6 Die Figuren sind fast 3000 Jahre alt. Die Forscher wissen bis
7 heute nicht genau, **4** *Was?*. Der Schweizer Buchautor Erich von
8 Däniken hat eine originale Theorie: „Außerirdische brauchen
9 diese Markierungen für die Landung mit ihren UFOs."
10 Erich von Däniken glaubt, dass vor vielen tausend Jahren
11 Außerirdische die Erde besucht haben. Sie haben den
12 Menschen damals geholfen, ihre Städte und Tempel zu
13 bauen. „Stonehenge oder die Pyramiden von Gizeh haben
14 Außerirdische gebaut. **6** *Wer?* konnten das noch nicht," meint
15 Erich von Däniken. In dreißig Büchern, in Radiosendungen und
16 im Fernsehen erklärt der Schweizer seine Theorien. Sind seine
17 Ideen **8** *Was?* oder sind sie nur gute Unterhaltung? Erich von
18 Däniken gibt wohl selbst die Antwort: Seine Vorträge beendet
19 er oft mit dem Satz: „Meine Damen und Herren, glauben Sie
20 mir kein Wort!"

In welchem Jahr hat man die Figuren entdeckt?

2 im Jahr 1920 **4** ⬛⬛⬛ **6** ⬛⬛⬛ **8** ⬛⬛⬛

Lösungen

Seite 10, Lektion 13, A1b

$(89 + 10) - (30 + 32 + 5) = 32 €$
Karin bekommt 4 € pro Stunde.
Also muss sie noch 8 Stunden babysitten.

Seite 13, Lektion 13, C2b

Sie haben nicht falsch gerechnet.
Schau die Zahlen genau an: ~~89~~ 68

Seite 35, Lektion 16, A2b

Text 5 ist falsch.

Seite 58, Lektion 18, A2

Frage

1 Du musst 300 Bürsten binden
(150 Mark : 0,50 Mark = 300).

2 Du musst 600 h arbeiten. Wenn du jeden
Abend 2 Stunden arbeitest und dabei
eine Bürste bindest, brauchst Du für
300 Bürsten 300 Abende, das ist fast ein
ganzes Jahr (365 Tage)!

3 Ein Arbeiter im Jahr 1900 muss für eine Kuh
2,25 Monate arbeiten:
800 Mark : 12 Monate = 66,67 Mark/Monat;
150 Mark : 66,67 Mark/Monat = 2,25 Monate

Seite 74, Lektion 20, A1c

In China müssen Frauen 20 Jahre alt sein, wenn sie
heiraten wollen.
In den USA darf man schon mit 16 Jahren Auto fahren.
Wählen darf man **in Japan** erst mit 20 Jahren.

Seite 94, Lektion 21, C1b

Filmtitel	Filmkategorie
Die lange Nacht am Rio Grande	Western
Ein wunderbarer Sommer	Liebesfilm
Der große Blonde mit dem schwarzen Schuh	Komödie
Alien	Science-Fiction

Seite 107, Lektion 23, A3

● Klettverschluss – ● Klette
● Salzstreuer – ● Mohnblume
● Stacheldraht – ● Hecke

Seite 108, Lektion 23, B1c

Die Erfindungen gibt es: Kühlschrank, Kleiderschrank,
Kugelschreiber, Einkaufstüte, virtuelle Freundin

Quellenverzeichnis

Seite 8: *A* © Laif/Gerhard Heidorn; *C* © Getty Images

Seite 9: *G* © Hueber Verlag/Kiermeir; *H* © Thinkstock/iStock/Hongqi Zhang; *I* © Thinkstock/iStock/Sylphe_7; *J* © action press; *L* © www.cleanclothes.at

Seite 10: *A* © iStock/EdStock; *B* © Thinkstock/iStock/Hongqi Zhang; *D* © Hueber Verlag/Kiermeir

Seite 17: *Grafik* © www.cleanclothes.at

Seite 18: *Flughafen* © Getty Images/The Image Bank; *Mann telefoniert* © Thinkstock/moodboard; *A-C* © Laif/Gerhard Heidorn; *D* © Laif/Holland. Hoogte; *Hintergrundfoto* © iStockphoto

Seite 20: *alle Fotos* © Laif/Gerhard Heidorn

Seite 21: *A* © Thinkstock/iStock/Sylphe_7; *B* © fotolia/Peter Hermes Furian

Seite 22: *Expeditionsteilnehmer* © Laif/Holland. Hoogte

Seite 23: *Rundflug* © PantherMedia/Jens Lehmberg; *Weltraum* © action press; *Titanic* © Thinkstock/iStock/PaulVinten; *Schiff* © Thinkstock/iStock editorial/Alec Owen-Evans; *Mount Everest* © Thinkstock/iStock/MBPROJEKT_Maciej_Bledowski; *Formel 1* © Thinkstock/iStock/Kerstin Barenbrock

Seite 24: *Piktogramme Fuß, Surfbrett, U-Bahn* © Hueber Verlag/Beate Fahrnländer; *alle anderen Piktogramme* © Fotolia/argentum

Seite 26: *1* © PantherMedia/Kati Neudert; *2* © PantherMedia/Thomas Lammeyer; *3* © PantherMedia; *indische Mädchen* © Hueber Verlag/Kiermeir

Seite 28: *indisches Mädchen* © Hueber Verlag/Kiermeir

Seite 29: *indisches Mädchen* © Hueber Verlag/Kiermeir

Seite 30: *alle Fotos* © Hueber Verlag/Kiermeir

Seite 34: *A* © Getty Images; *B* © picture-alliance/dpa

Seite 35: *C* © Thinkstock/Stockbyte/Jupiterimages; *D* © dpa Picture-Alliance/Than Nien Newspaper; *E* © imago/Steffen Schellhorn; *F* © dpa Picture-Alliance/Jens Büttner

Seite 36: © Thinkstock/iStock/tony strong

Seite 37: *Mädchen* © Thinkstock/Stockbyte/Jupiterimages

Seite 38: *Zeitung* © Getty Images

Seite 39: *1* © PantherMedia/Radka Linkova

Seite 41: *A* © Thinkstock/Stockbyte/Comstock Images; *B* © Thinkstock/iStock/g-stockstudio; *C* © picture-alliance/dpa

Seite 42: *A (Tracht aus Bayern), C (Tracht aus Tirol), D (Tracht aus Graubünden)* © Imago/Astrid Schmidhuber; *B (Trachten aus Niedersachsen)* © picture-alliance/KPA/Deutschm

Seite 43: *B* © Glowimages/ImageBroker/Alfred Schauhuber

Seite 45: *Collage* © Cornelia Krenn; *alle Fotos* © iStockphoto

Seite 48: *B* © dpa Picture-Alliance; *C* © F1-online/Pacific Stock; *D* © Laif/Theodor Barth, *E* © IMAGO; *F* © AKG-Images

Seite 49: *H* © ddp images; *Gandhi* © Glowimages/Heritage Images/Ann Ronan Pictures; *Dietrich* © Glowimages/Heritage Images/KPA; *L* © picture-alliance/dpa

Seite 50: *A* © action press/Berliner Studios LLC; *B* © Glowimages/SuperStock; *C (links)* © Thinkstock/Monkey Business Images; *C (rechts)* © action press/SUNSHINE; *Hintergrundfoto* © iStockphoto

Seite 51: *A* © Thinkstock/Stockbyte/Jupiterimages; *B* © Ullstein Bild/Wecker

Seite 52: *Jamie Oliver* © action press/SUNSHINE

Seite 54: *oben* © Thinkstock/Stockbyte/Jupiterimages; *A* © Shutterstock.com/Lisa S.; *B* © irisblende.de; *C, F, G* © iStockphoto; *D* © Thinkstock/Stockbyte/altrendo images; *E* © Thinkstock/iStock/andresrimaging; *unten* © Thinkstock/Photodisc

Seite 58: *Studioaufnahme Boros* © T&T; *Fotos Projekt 1902* © Laif/Theodor Barth

Seite 58/59: *Hintergrundfoto* © PantherMedia

Seite 59: *Schwarzwaldhaus* © Laif/Emmler

Seite 60: *Boros* © Laif/Theodor Barth

Seite 61: *Boros* © Laif/Theodor Barth

Seite 63: *Fotos 1. Reihe* © AKG-Images; *2. Reihe von links nach rechts:* © Getty Images/iconia, © PantherMedia/Claus Lenski, © Thinkstock/iStock/JackF

Seite 64: *Smileys* © Fotolia

Seite 65: *Porträt* © PantherMedia/Yuri Arcurs

Seite 66: *A, D* © Action Press/Contrast; *C* © picture-alliance/dpa; *B* © ASSOCIATED PRESS; *E* © picture-alliance/dpa/dpaweb; *F* © dpa Picture-Alliance/apa Franz Neumayr; *Hintergrundfoto* © iStockphoto

Seite 68: *Unfallort* © picture-alliance/dpa

Seite 69: *Hermann Maier* © picture-alliance/dpa; *Kinoplakat* © ddp images

Seite 70: *Filmszene* © ddp images

Seite 71: *A* © Glowimages/Heritage Images/Ann Ronan Pictures; *B* © Thinkstock/Getty Images Entertainment/Carsten Koall; *C* © Glowimages/Heritage Images/KPA; *D* © Glowimages/SuperStock; *E* © Glowimages/Heritage Images/The Print Collector

Seite 72: *Porträt* © I. Schwarz

Seite 73: *Nowitzki* © Imago

Seite 74: *Porträts* © PantherMedia; *A* © Thinkstock/Getty Images News/Koichi Kamoshida; *B* © F1-online/Pacific Stock

Seite 75: *C, D* © Laif/Gamma

Seite 76: *Turmspringer* © Laif/Gamma; *Rafting* © Thinkstock/iStock/Ben Blankenburg; *Freikletterer* © Thinkstock/Monkey Business Images; *Apnoetauchen* © Thinkstock/iStock/Sergey Orlov; *Piktogramme* © Fotolia